CONSAGRADOS PARA SER TESTIGOS

PREPARACION PARA CELEBRAR LA CONFIRMACION

- Texto del joven-

GRUPO EDITORIAL LATINOAMERICANO

ARGENTINA	1030 - BUENOS AIRES Larrea 50. Tel: (01) 951.79.96. Telefax: (01) 952.59.24
BOLIVIA	LA PAZ Colón 627, Cas. 3152. Telefax: (2) 32.60.84 COCHABAMBA Natanael Aguirre 0349. Telefax: (42) 5.11.80
BRASIL	004062-003 - SAO PAULO Av. Indianápolis, 2752 Tel: (11) 276.55.66. Fax: (11) 275.02.55
CHILE	SANTIAGO - La Florida Av. Vicuña Mackenna, 6299. Telefax: (2) 21.28.32
COLOMBIA	SANTAFÉ DE BOGOTÁ, D.C. Cra. 32A Nº 161A-04. Tel: (1) 671.89.74 Fax: 670.63.78 - A.A. 6291
ECUADOR	QUITO Selva Alegre, 169 y 10 de Agosto. Telefax: (2) 50.16.56
ESTADOS UNIDOS	MIAMI, FL 33174 145 S.W. 107th Ave Nº 2. Tel: (305) 225.25.13 Fax: (305) 225.41.89
MÉXICO	09890 - MÉXICO, D.F. Boulevard Capri, 98 - Lomas Estrella Tel: (5) 656.19.44/2064. Fax: (5) 607.00.40
PARAGUAY	ASUNCIÓN Calle Estados Unidos, 538 Telefax: (021) 21.28.78
PERÚ	LIMA,1 Jirón Callao, 198 - Apdo. 982. Tel: (1) 427.82.76 Fax: (1) 426.94.96 (1) 459.38.42
PUERTO RICO	SAN JUAN 00925 Río Piedras Arzuaga, 164. Tel: 764.48.85. Fax: (809) 767.62.14
REP. DOMINICANA	SANTIAGO DE LOS CABALLEROS Calle 16 de Agosto, 146. Telefax: (809) 583.64.52
URUGUAY	MONTEVIDEO Colonia 1311. Tel: (2) 90.68.20. Telefax: (2) 47.59.66
VENEZUELA	1071 - CARACAS Av. Sucre, Conjunto Residencial Yutaje, Torre B, Los Dos Caminos Tel: (02) 286.35.15. Fax: (02) 285.72.17

DIOCESIS DE ZIPAQUIRA
INSTITUTO CATEQUISTICO

-Oliva Gutiérrez M. Yolanda Valero C.-

CONSAGRADOS PARA SER TESTIGOS

PREPARACION PARA CELEBRAR LA CONFIRMACION

- Texto del joven-

DIOCESIS DE ZIPAQUIRA
Instituto Catequistico

Equipo de Formación del Instituto Catequístico Diócesis de Zipaquirá
Asesor eclesiástico: Monseñor Emigdio Piñeros C. Vicario General de la Diócesis
de Zipaquirá y Delegado de Pastoral Profética

Carrera 25 Nº 3-02
Teléfonos: 8522603 - 85233439
Barrio: Julio Caro
Zipaquirá - COLOMBIA

Este libro se terminó de imprimir el 1 de Enero de 1998
en la solemnidad de Santa María Madre de Dios.

ISBN Libro: 958-669-093-8
ISBN Colección: 958-669-086-5
Primera Edición, 1998

Ilustraciones carátula y páginas interiores: Yolanda Valero C.

© Instituto Misionero Hijas de San Pablo
Carrera 32A Nº 161A-04
Teléfono: 671 1298 • Fax 670 6378
Santafé de Bogotá, D.C. - COLOMBIA

ME PREPARO PARA CELEBRAR MI CONFIRMACION

Nombre y apellidos:_____

Dirección:_____

Parroquia:_____

Las Confirmaciones serán el día:_____

Fui bautizado en la Parroquia:_____

Fecha_____Libro_____Folio_____

Mis padres:_____

_____

Mi padrino o Madrina será: _____

El nombre de mi Diócesis es:_____

El nombre de mi Obispo es: _____

El nombre de mi Párroco es:_____

El nombre de mi Catequista es:_____

INDICE

ÍNDICE

PRESENTACION

Para celebrar con gran gozo y en una profunda experiencia de renovación el año del Espíritu Santo, estamos entregando el texto de preparación a la Confirmación a todos los jóvenes para que impulsados por el Espíritu que animó a Jesús, tomen conciencia de lo que significa madurar la fe y empezar una nueva vida como testigos del Evangelio en el mundo.

La Confirmación es el sacramento de la madurez cristiana y el catecismo que tienes en tus manos es un buen medio para comprender y asumir esta responsabilidad que adquiriste en el Bautismo, y que hoy quieres confirmar con la celebración de este sacramento.

Nada en la Iglesia se realiza sin la acción del Espíritu, por eso, como joven, estás llamado a recibir su fuerza, sus dones y carismas para que en comunidad con otros jóvenes renueven sus vidas, las parroquias y las Diócesis.

La unción que vas a recibir te consagra como testigo para que seas sal de la tierra y luz del mundo, en medio de cada uno de los ambientes que te rodean.

Que la fuerza del Espíritu Santo nos conduzca a todos a celebrar con gozo el gran jubileo del año 2000, manifestando con nuestro testimonio que Jesús sigue actuando entre nosotros.

Emigdio Piñeros Cárdenas
Vicario General de la Diócesis de Zipaquirá
y Delegado de la Pastoral Profética.

1.

QUEREMOS SER TUS TESTIGOS

LLEGAREMOS A LA META

Hoy lograré:

> **Comprender por qué es importante prepararme para celebrar el sacramento de la Confirmación.**
> **Descubrir las verdaderas razones que me han llevado a pedir la preparación del sacramento.**
> **Comprometerme a vivir con responsabilidad esta nueva experiencia de fe, integrándome activamente en el grupo.**

CANTO Nº1: *Este encuentro*

SIGNO: *El Camino*

OREMOS ✝

Joven: Ven Espíritu Santo, llena nuestros corazones y enciende en nosotros el fuego de tu amor. Envíanos, Señor, tu Espíritu de Sabiduría...

Todos: Y las cosas serán creadas y renovarás la faz de la tierra.

Catequista: Oh Dios, queremos entregarnos a Ti con sincero corazón durante esta preparación, para celebrar el sacramento de la Confirmación,

Todos: concédenos que la luz de tu Espíritu nos guíe y nos dé las fuerzas necesarias para no desfallecer en este Camino que iniciamos hoy. Por Jesucristo Nuestro Señor. Amén.

1 ☆ EN SINTONÍA

¿Por qué estamos aquí?

Observo con mi compañero más cercano la siguiente ilustración y respondemos la pregunta.

1. ¿Nos ha pasado algo semejante? ¿Por qué?

_____

_____

_____

_____

_____

RESUMIENDO

Es importante conocer las verdaderas razones por las cuales queremos prepararnos para celebrar el sacramento de la Confirmación. Más allá de nuestras dudas e inquietudes está vivir plenamente la experiencia de fe en el Señor, a partir de la preparación para celebrar el sacramento de la Confirmación. Esta experiencia de fe, es un Camino por recorrer, lo viviremos en comunidad, enriqueciéndonos con los dones que Dios nos ha dado a cada uno en particular, para el servicio de los demás. El servicio es una manera de dar testimonio de la presencia de Jesús en nuestra vida como jóvenes.

2★ ESCUCHEMOS A DIOS

Busco en la Sagrada Escritura **Primera Corintios 9,24-27**. Leo atentamente y luego respondo:

1. ¿Qué se hace en una carrera?

_____

_____

_____

2. ¿Cuántos ganan el premio?

_____

3. ¿Qué hacen los atletas para ganar?

_____

_____

_____

4. ¿Qué premio reciben?

_____

_____

5. ¿A qué carrera se refiere San Pablo?

_____

_____

6. ¿Cómo dice que se debe correr? ¿Por qué?

_____

_____

_____

_____

7. ¿De qué forma corro en la carrera de mi vida cristiana?

_____

_____

8. ¿Qué nos hace falta para correr mejor?

_____

_____

9. ¿Qué relación encuentro entre el texto y el ejercicio de la ilustración?

_____

_____

_____

_____

3✸ PARA PROFUNDIZAR

Al iniciar nuestra preparación para celebrar el sacramento de la Confirmación, es importante concientizarnos de que estamos aquí porque Dios nuestro Padre nos ha elegido y llamado por nuestro propio nombre a ser los colaboradores de su Hijo.

Prepararse al sacramento de la Confirmación es una invitación a revisar nuestra vida cristiana y a reflexionar sobre lo que hemos hecho con los dones que Dios nos concedió desde el día de nuestro bautismo. Es volver a decir Sí, renovando nuestros compromisos de hijos de Dios.

4✸ ACTUEMOS

Después de esta reflexión, me pregunto:

1. ¿Por qué deseo confirmarme?

_____

2. ¿Con qué elementos cuento para iniciar esta carrera?

_____

_____

_____

3. ¿Qué me falta para tomar en serio este nuevo reto?

_____

_____

_____

4. ¿Qué haré a partir de ahora?

_____

_____

_____

5✫ CELEBREMOS NUESTRA FE

SIGNO: *El Camino*

Escribo un carta a Jesús, contándole lo que deseo lograr
con esta preparación.

Recemos todos el salmo 23. Cuando el catequista lo
indique. -Oración N°1-

6✫ MANOS A LA OBRA

Realizaré durante la semana el siguiente ejercicio:

Elaboro un lema o consigna que me ayude a ser mejor joven
cristiano.

* Sᴇʀ ᴛᴇsᴛɪɢᴏ

Comparto el trabajo desarrollado en el taller con un compañero que aún no conozco. Luego reflexiono:

¿Cómo me sentí al hacer el ejercicio?
¿Qué actitud tomó mi compañero?

¡Qᴜᴇ́ ɴᴏᴛᴀ!

Preparar el signo Lᴀ Cᴏᴍᴜɴɪᴅᴀᴅ, para el próximo encuentro:

_____   _____

Al encuentro debo llevar siempre la Biblia.

7 ⭐ Pᴀʀᴀ ʀᴇᴄᴏʀᴅᴀʀ

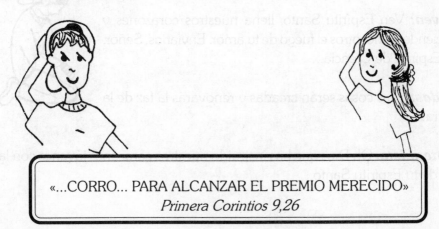

«...CORRO... PARA ALCANZAR EL PREMIO MERECIDO»
Primera Corintios 9,26

2. CONFIRMAMOS NUESTRA FE EN DIOS

LLEGAREMOS A LA META

Hoy comprenderé:

> Qué significa confirmar mi fe en Dios Uno y Trino.
> Cómo expresar en mi vida diaria mi fe en Dios.
> Que la Confirmación me compromete a anunciar y a proclamar las grandezas de Dios.

CANTO N°2: *Dádivas de amor*

SIGNO: *La Comunidad*

OREMOS ✝

Joven: Ven Espíritu Santo, llena nuestros corazones y enciende en nosotros el fuego de tu amor. Envíanos, Señor, tu Espíritu de Ciencia...

Todos: Y las cosas serán creadas y renovarás la faz de la tierra.

Catequista: Oh Dios que has instruido nuestros corazones jóvenes con la luz de tu Espíritu Santo,

Todos: concédenos hoy la gracia de reconocerte como nuestro Dios y Señor; y gozar siempre de tu amor. Por Jesucristo Nuestro Señor. Amén.

1 ✯ EN SINTONÍA

En silencio realizo el siguiente ejercicio:

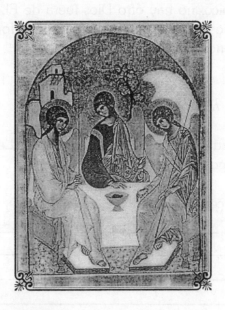

1. ¿Qué observo en la imagen?
2. ¿Qué signos se resaltan en ella ?
3. ¿Qué significan para mí, estos signos?
4. ¿Encuentro alguna relación entre la imagen y lo que conozco de Dios? ¿Cuál?

_____

_____

_____

_____

_____

RESUMIENDO

- Aún conociendo pocas imágenes de la Santísima Trinidad, las personas de todas las épocas han expresado lo que saben y experimentan de Dios como Padre, Hijo y Espíritu Santo.

- El Padre tiene como signo una **casa** porque de El todos salimos y a El todos volvemos. El Hijo, Jesucristo, es representado por el **árbol** porque nos da vida en el nuevo árbol de la cruz, y la fuerza del aire representa al Espíritu Santo que nos impulsa y guía.

- Dios es único, no hay otro Dios fuera de El, pero lo grande de nuestro Dios es que se manifiesta de tres formas distintas para comunicarnos todo su amor.

2⁂ ESCUCHEMOS A DIOS

Busco en la Sagrada Escritura **Mateo 28,18-20**. Leo atentamente y luego respondo:

1. ¿Quiénes aparecen en el texto?

_____

_____

_____

_____

2. ¿A qué los mandó Jesús?

_____

_____

_____

3. ¿En nombre de quién?

_____

_____

_____

_____

4. ¿Qué promesa les hizo?

_____

_____

5. ¿Qué relación encuentro entre el texto y el ejercicio de la imagen?

_____

_____

_____

_____

3☆ PARA PROFUNDIZAR

Al celebrar el sacramento de la Confirmación estamos diciendo: Sí, creo que Dios es fuente de vida y comunión. Creo que Dios es mi Padre y yo su hijo y me comprometo a vivir como tal. Creo además, que Jesucristo, Hijo de Dios, es mi hermano, quien murió y resucitó para salvarme; y me comprometo a conocerlo, amarlo, celebrarlo y seguirlo para construir con El, el Reino de Dios.

Creo también, en el Espíritu Santo y reconozco su acción en todos los acontecimientos de mi vida y de la vida de la Iglesia; y me comprometo a vivir como testigo, manifestando al mundo una vida nueva, renovada por el amor de Dios.

4☆ ACTUEMOS

Como joven renuevo mi fe en Dios Uno y Trino, preguntándome qué tan feliz soy según el querer de Dios:

1. ¿Sé bien lo que busco y para dónde voy? ¿Cómo me doy cuenta? _____

_____

21

2. ¿Qué me falta para ser verdaderamente feliz? ¿Por qué?

_____

_____

_____

_____

3. ¿Qué cosa concreta me gustaría hacer para lograr ser feliz?

_____

_____

5☆ CELEBREMOS NUESTRA FE

SIGNO: *La Comunidad*

Somos una **comunidad** de discípulos de Jesús que queremos llegar a ser sus testigos.

Medito el Padre Nuestro -Guía de evaluación N°1- y luego construyo mi propio Padre Nuestro, según la reflexión que acabo de hacer.

_____

_____

_____

_____

_____

_____

_____

_____

6✦ MANOS A LA OBRA

Realizaré durante la semana el siguiente ejercicio:

1. Diseño un dibujo que comunique a los jóvenes de hoy, qué es la Santísima Trinidad?

2. Debajo del dibujo expreso en una frase lo que quise comunicar.

3. Aprenderé el Gloria -Guía de evaluación Nº3-

* SER TESTIGO

Comparto el trabajo desarrollado en el taller con un compañero que aún no conozco. Luego reflexiono:

¿Cómo me sentí al hacer este ejercicio?
¿Qué actitud tomó mi compañero?

¡Qué nota!

Preparar el signo BIBLIA ABIERTA -jóvenes dentro-, para el próximo encuentro:

_____   _____

Al encuentro debo llevar siempre la Biblia.

7✮ PARA RECORDAR

«YO ESTARE CON USTEDES POR SIEMPRE»
Mateo 28,20

3. # CREEMOS EN TU PALABRA

Hoy comprenderé que:

> **Dios nunca ha dejado de hablar a los seres humanos. La Palabra de Dios me revela su gran amor y me prepara para celebrar el sacramento de la Confirmación. En la Escritura encontramos la luz que guía mi vida de joven.**

CANTO N°3: *Tus Palabras alientan mi vida*

SIGNO: *Biblia abierta -jóvenes dentro-*

OREMOS ✝

Joven: Ven Espíritu Santo, llena nuestros corazones y enciende en nosotros el fuego de tu amor. Envíanos, Señor, tu Espíritu de Entendimiento...

Todos: Y las cosas serán creadas y renovarás la faz de la tierra.

Catequista: Oh Dios que por tu Palabra creaste todas las cosas, y haces que quien te escuche se llene de alegría y esperanza,

Todos: concédenos que con la fuerza de tu Espíritu seamos testigos fieles de tu palabra, capaces de predicarla «a tiempo y a destiempo, siempre con paciencia y preocupados de enseñar». Por Jesucristo Nuestro Señor. Amén.

1 ✮ EN SINTONÍA

«RECORDEMOS JUGANDO»

Participo activamente en la dinámica de la Baraja Bíblica.

Después del ejercicio analizo:

1. ¿Cómo me sentí? ¿Por qué?
2. ¿Qué fue lo que más esfuerzo me costó? ¿Por qué?
3. ¿Qué me hace falta después de este ejercicio?

_____

_____

_____

_____

RESUMIENDO

- Conocer la Biblia no es sólo comprarla y tenerla en casa, es necesario leerla para descubrir los tesoros que hay en ella.
- La Biblia es la Palabra de Dios y en ella encontramos el querer de Dios para nosotros hoy.
- Debemos esforzarnos por conocer cada día mejor la Palabra de Dios y así ser verdaderos testigos de Jesús.

2☆ ESCUCHEMOS A DIOS

Busco en la Sagrada Escritura **Segunda Timoteo 4,1-5**. Leo atentamente y luego respondo:

1. ¿Qué le ruega Pablo a Timoteo?
_____
_____
_____

2. ¿Cómo le dice que debe predicar la Palabra?
_____
_____
_____

3. ¿Por qué tanta insistencia de Pablo?
_____
_____
_____

4. ¿Qué le aconseja a Timoteo?
_____
_____
_____

5. ¿Alguna vez he predicado la Palabra? ¿Cómo me he sentido?
_____
_____
_____

6. ¿Encuentro alguna relación entre el texto y el ejercicio de la Baraja Bíblica? ¿Cuál?_____
_____
_____
_____

3 ✦ Para profundizar

La Palabra de Dios, que también llamamos Biblia por ser una colección de 73 libros, es una **carta de amor** que Dios envía a toda la humanidad. En ella El se muestra como Padre, creador y protector de su pueblo en el Antiguo Testamento.

Después de Jesús, la Iglesia, su nuevo pueblo, continúa leyéndola para descubrir la mejor forma de agradar a Dios.

Nosotros como Iglesia, que nos preparamos para confirmar nuestra fe, debemos preocuparnos por conocer y transmitir la Palabra de Dios, asistiendo a los grupos de Lectura Santa, círculos bíblicos, escuchando atentos las lecturas en la Eucaristía, dedicando tiempo para leerla personalmente; y lo más importante para compartir lo aprendido con nuestros amigos, hermanos o personas que lo necesiten.

4 ✦ Actuemos

Después de haber aprendido a conocer un poco más la Sagrada Escritura:

1. ¿Qué haré a partir de hoy para que otros jóvenes también conozcan la Sagrada Escritura?

_____

_____

2. ¿Qué recurso utilizaría? ¿Por qué?

_____

_____

_____

5 ☆ CELEBREMOS NUESTRA FE

SIGNO: *Biblia abierta -jóvenes dentro-*

Pienso en alguien del grupo a quien me gustaría entregar la Biblia y escribo lo que le diría al hacerlo. -Momento de silencio-

_____

_____

_____

Después de cada entrega, cantamos:

Esta es la luz de Cristo yo la haré brillar (2)
Brillará, brillará, sin cesar (2)

Terminamos rezando juntos el Salmo 119 -Oración N°2-. Cuando el catequista lo indique.

6 ☆ MANOS A LA OBRA

Durante la semana elaboraré el recurso con el cual quiero empezar a predicar la Palabra de Dios entre mis amigos.

* SER TESTIGO

Comparto mi reflexión con un compañero del colegio o trabajo. Luego reflexiono:

¿Cómo me sentí al hacer el ejercicio?
¿Qué actitud tomó mi compañero?

¡QUÉ NOTA!

Preparar el signo PERGAMINO EN BLANCO, FIRMADO -DIOS-, para el próximo encuentro:

_____   _____

Al encuentro debo llevar siempre la Biblia.

7 ✩ PARA RECORDAR

«PREDICA A TIEMPO Y A DESTIEMPO, ACONSEJANDO, SIEMPRE
CON PACIENCIA Y PREOCUPADO DE ENSEÑAR»
Segunda Timoteo 4,2

RENOVAMOS NUESTRA ALIANZA CON DIOS

4.

LLEGAREMOS A LA META

Hoy debo aprender:

> **Qué es una alianza y por qué Dios hace alianza con las personas.**
> **Que las alianzas son medios a través de los cuales Dios se comunica con las personas y ellas con Dios.**
> **Que al confirmarme, renuevo mi alianza con Dios, en Jesucristo por el Espíritu Santo.**

CANTO N°4: *No tengamos miedo a nada*

SIGNO: *Pergamino en blanco, firmado -Dios-*

OREMOS ✝

Joven: Ven Espíritu Santo, llena nuestros corazones y enciende en nosotros el fuego de tu amor. Envíanos, Señor, tu Espíritu de santo Temor de Dios...

Todos: Y las cosas serán creadas y renovarás la faz de la tierra.

Catequista: Oh Dios, Señor del cielo y de la tierra, que siempre has querido comunicar al ser humano tu amor,

Todos: derrama hoy sobre nosotros, la luz de tu Espíritu para que sepamos renovar fielmente nuestro amor hacia Ti y gocemos siempre de tu perdón. Por Jesucristo Nuestro Señor. Amén.

1 ✩ EN SINTONÍA

Participo activamente en la dinámica de la Lotería Bíblica. Después del ejercicio analizo:

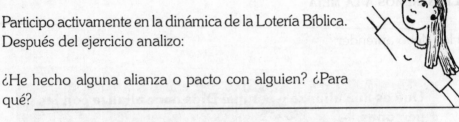

¿He hecho alguna alianza o pacto con alguien? ¿Para qué? _____

_____

_____

RESUMIENDO

- Una alianza es un pacto o acuerdo entre personas o partes para lograr determinado fin.
- Las personas siempre han hecho alianzas porque con ellas se garantiza una convivencia pacífica y feliz.
- Dios, también, hace alianza con las personas para que podamos ser felices.

2 ✩ ESCUCHEMOS A DIOS

Busco en la Sagrada Escritura **Exodo 19,3-9a.20,1-17.** Leo atentamente y luego respondo:

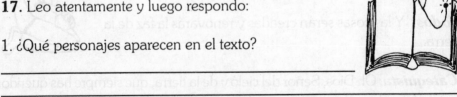

1. ¿Qué personajes aparecen en el texto?

_____

_____

_____

2. ¿Con quién se encontró Moisés y qué le dijo?

_____

_____

_____

3. ¿Qué hizo luego Moisés?

_____

_____

_____

4. ¿Qué respondió el pueblo?

_____

_____

_____

5. ¿Qué cosa les dio Dios a los israelitas?

_____

_____

_____

6. ¿Alguna vez he hecho alianza con Dios? ¿Cómo me doy cuenta?

_____

_____

_____

_____

7. ¿Encuentro alguna relación entre el texto y el ejercicio de la Lotería
Bíblica? ¿Cuál? _____

_____

_____

_____

3 ✮ Para profundizar

Nuestra alianza, hoy

Dios continúa haciendo alianza con las personas porque como en tiempos de Abraham, también nosotros, hoy, vivimos en un mundo en el que adoramos dioses falsos -el dinero, el placer, la vida fácil- y nos da temor comprometernos por pensar en el qué dirán o por pena a afirmar que somos cristianos.

La alianza con Dios nos exige dejar los pactos con los falsos dioses y ser fieles al amor de Dios, tomando conciencia, cada día, de lo que significa **confirmar** nuestro amor -compromiso- con el Unico y verdadero Dios y Señor, siendo testigos de su presencia en medio de quienes nos rodean.

4 ✮ Actuemos

Renuevo hoy mi alianza con Dios, asumo un nuevo reto en mi vida:

1. ¿Qué falsos dioses debo dejar, hoy?
_____
_____

2. ¿Cuál de los mandamientos es el mayor reto de mi vida? ¿Por qué?
_____
_____
_____

3. ¿Qué alianza haré con Dios, después de esta reflexión?
_____
_____
_____

34

5✱ Celebremos nuestra fe

Signo: *Pergamino en blanco, firmado -Dios-*

Joven: Creemos Señor, Dios del cielo y la tierra, que tu amor por los jóvenes es sin medida, mira nuestras vidas y libéranos de todo cuanto nos oprime. Por favor, acepta nuestro deseo de hacer un nuevo pacto contigo y escribe a través de mi mano los mandamientos que Tú quieres que como joven viva.

Escribo ahora, dos mandamientos que Dios me exige como joven, hoy, redactados según mi propia experiencia.

_____

_____

_____

_____

Comparto mi reflexión...

Terminamos rezando todos la oración «Necesitamos de Ti» -Oración N°3. Cuando el catequista lo indique.

6✱ Manos a la obra

Realizaré durante la semana, el siguiente ejercicio:

1. En una hoja, tamaño oficio y en forma de pergamino, redacto los 10 mandamientos de Dios para el joven de hoy.

2. Aprenderé los Mandamientos de la ley de Dios. -Guía de evaluación N°9-

* Ser testigo

Comparto el trabajo sobre los 10 mandamientos con un amigo. Luego reflexiono:

¿Cómo me sentí al hacer el ejercicio?
¿Qué actitud tomó mi amigo?

¡Qué nota!

* Preparar el signo La Cruz, para el próximo encuentro:

_____   _____

Al encuentro debo llevar siempre la Biblia.

7☆ Para recordar

«SI RESPETAN MI ALIANZA, LOS TENDRE COMO MI PUEBLO»
Exodo 19,5

36

5. JESUCRISTO, PLENITUD DE LA ALIANZA

LLEGAREMOS A LA META

Hoy debo saber:

> **Que Dios cumplió las promesas hechas en el Antiguo Testamento.**
> **Que Jesucristo, Nueva y Eterna Alianza entre Dios y las personas, me acerca a la amistad con su Padre.**
> **Que al confirmarme, renuevo con Cristo mi alianza con Dios.**

CANTO N°5: *JESÚS CRISTO*

SIGNO: *LA CRUZ*

OREMOS ✝

Joven: Ven Espíritu Santo, llena nuestros corazones y enciende en nosotros el fuego de tu amor. Envíanos, Señor, tu Espíritu de Fortaleza...

Todos: Y las cosas serán creadas y renovarás la faz de la tierra.

Catequista: Oh Dios que te hiciste hombre en tu Hijo Jesucristo, y nos enseñaste a vivir como verdaderos hermanos entre nosotros,

Todos: concédenos la luz de tu Espíritu para que vivamos con alegría nuestro compromiso de vida cristiana, según la propuesta de Jesús en las Bienaventuranzas. Por Jesucristo Nuestro Señor. Amén.

1 ✫ En sintonía

Observo el afiche que me presenta el catequista y luego analizo.
¿Qué actitud tomo frente a estas situaciones? ¿Por qué?

_____

_____

_____

_____

_____

_____

_____

_____

_____

_____

Resumiendo

- Aunque Jesús murió una sola vez y para siempre, continúa muriendo en nuestras situaciones de pecado.
- Resucitar con Jesús, es aceptar el amor de Dios que nos llama continuamente a su amistad.
- La actitud de Jesús al seguir muriendo para darnos vida nueva, significa que Dios permanentemente hace alianza con nosotros.

38

2 ⭐ ESCUCHEMOS A DIOS

Busco en la Sagrada Escritura **Hebreos 9,15-17**. Leo atentamente y luego respondo:

1. ¿Quién es el mediador en la Nueva Alianza?

_____

_____

_____

_____

2. ¿Qué hace Cristo con la Nueva Alianza? ¿Para qué?

_____

_____

_____

_____

3. ¿Considero necesario que Cristo hubiese muerto? ¿Por qué?

_____

_____

_____

_____

4. ¿Encuentro alguna relación entre el texto y el ejercicio del afiche? ¿Cuál?

_____

_____

_____

_____

_____

_____

3 ✷ Para profundizar

Los Apóstoles se pusieron al servicio del Reino porque era una manera de ser fieles a la Alianza, es decir, sirvieron para vivir a conciencia el mandamiento del Amor.

Es por esto que Jesús elige a Pedro entre los Doce para que confirme en la fe a los hermanos y garantice la unidad en el amor y todo el mundo crea por este signo que somos discípulos y testigos suyos.

Nuestra tarea como jóvenes que queremos confirmar nuestra fe es trabajar por construir el Reino de Dios en el servicio, signo visible de nuestro proyecto de vivir como Dios quiere: plenamente felices.

4 ✷ Actuemos

Acepto este nuevo reto de ser feliz viviendo en actitud de servicio:

1. ¿Qué gestos de servicio puedo empezar a tener en mi familia y parroquia?

_____

_____

_____

_____

2. ¿Qué haré para lograrlo?

_____

_____

_____

_____

5 ✮ CELEBREMOS NUESTRA FE

SIGNO: *La Cruz*

Para apoyar mi reflexión tomo el camino que me ofrece Jesús. Leo **Lucas 6,20-38** y me pregunto, ¿qué tan cerca o que tan lejos estoy de ser realmente feliz?

Escribo mi reflexión en forma de oración, resaltando los momentos felices o el reproche de Jesús.

_____

_____

_____

_____

Terminamos rezando juntos la oración «En tus manos me abandono» -Oración N°4-. Cuando el catequista lo indique.

6 ✮ MANOS A LA OBRA

Realizaré durante la semana, el siguiente ejercicio:

1. Redacto cinco Bienaventuranzas y cinco Ayes o reproches que Jesús hace al joven de hoy.

_____

_____

_____

_____

_____

_____

_____

2. Aprenderé las Bienaventuranzas -Guía de evaluación N°15-

* SER TESTIGO

Comparto el trabajo sobre las Bienaventuranzas y los reproches con mis padres. Luego reflexiono:

¿Cómo me sentí al hacer el ejercicio?
¿Qué actitud tomaron mis padres?

¡QUÉ NOTA!

* Preparar el signo CIRIO ENCENDIDO y ambientar el lugar para el próximo encuentro, teniendo en cuenta que haremos nuestra celebración de fe:

_____   _____

Al encuentro debo llevar siempre la Biblia.

7 ☆ PARA RECORDAR

> «AMEN A SUS ENEMIGOS, BENDIGAN A QUIENES LOS
> MALDIGAN Y OREN POR QUIENES LOS INSULTAN»
> *Lucas 6, 27-28*

6. SEÑOR, ¿A QUIEN IREMOS?
-Celebración de la fe-

Llegaremos a la meta

Hoy experimentaré:

> **Que sólo Jesús tiene palabras de vida eterna.**
> **La alegría de haber expresado mi fe en Jesucristo, luz del mundo.**
> **El deseo de compartir con otros jóvenes esta experiencia.**

CANTO N°6: *¿A quién, Señor, iremos?*

SIGNO: *Cirio encendido*

Nota:
Esta celebración de fe seguirá el esquema de Lectura Santa a partir de siete pasos.

Catequista:

INVOCACIÓN INICIAL

En el nombre del Padre, del Hijo y del Espíritu Santo. ✝

Todos: Amén.

Todos: Canto N°6 ¿A quien, Señor, iremos?

Joven:

Hermanos, hasta hoy hemos recorrido el camino que nos recuerda las promesas hechas por Dios en el Antiguo Testamento y realizadas por Jesucristo con su muerte en la cruz.

Al hacer este **PARE** en nuestra catequesis de preparación al sacramento de la Confirmación, queremos profundizar sobre el sentido de nuestra fe en estas promesas de Dios y proclamar con nuestros labios que creemos que el Dios de Jesús, es nuestro Unico y Verdadero Dios. Para que al celebrar en nuestra vida el compromiso de ser testigos de Jesús por el sacramento de la Confirmación, demos testimonio de nuestra fe tal como la hemos vivido y experimentado.

Abramos, entonces, nuestro corazón para recibir la Palabra de Dios y hacerla germinar para que dé frutos abundantes.

PASO N°1: PREPAREMOS NUESTRO CORAZÓN

Joven: Ven Espíritu Santo, llena nuestros corazones y enciende en nosotros el fuego de tu amor. Envíanos, Señor, tu Espíritu.

Todos: Y las cosas serán creadas y renovarás la faz de la tierra.

Todos: Oh Dios, concédenos hoy que iluminados por tu luz, descubramos tu voluntad a través de tu Palabra para que crezcamos en santidad y podamos ser verdaderos testigos de tu hijo Jesucristo. Tú que vives y reinas por los siglos de los siglos. Amén.

Todos: Canto N°3: Tus palabras alientan mi vida

Joven: Proclamación del Evangelio según **san Juan 6, 60-69.**

Paso Nº2: Reconstruyamos el texto

Joven: Busquemos el texto proclamado en el Evangelio de Juan 6,60-69. Ahora, cada uno en silencio resaltará del texto:

- Los verbos y palabras que aparecen
- Preguntas que Jesús hace en el texto
- Frases que le llaman la atención

Comparto mi reflexión.

Paso Nº3: Aprovechemos otras informaciones del texto

Joven: Conozcamos otros datos del texto para comprender mejor el mensaje que Jesús desea comunicarnos.
- Lea el capítulo 6 y observe en qué contexto dijo Jesús a sus discípulos: «¿también, ustedes quieren irse?»
- Lea las notas de pie de página de su Biblia.
- Lea los textos paralelos: - Marcos 8,27-30; Marcos 1,24.
- Luego reflexione: ¿En quién proclaman su fe los personajes de los textos? ¿Por qué?

Compartir lo que he descubierto en mi reflexión.

Paso Nº4: Comprendamos el mensaje del texto

Joven: Miremos nuevamente en el texto de Juan 6,60-69.
- ¿Qué personajes aparecen? ¿Qué hacen? ¿Qué dicen?
- ¿Qué expresiones y palabras usan?
- ¿Qué palabras del texto, tocan mi vida? ¿Por qué?
- ¿Qué me pregunta Jesús, hoy?
- ¿Qué le respondo?

Comparto mi reflexión.

Es importante darnos cuenta que este mensaje tiene como contexto el discurso sobre el Pan de Vida -La Eucaristía- que Jesús da a los judíos. Precisamente la incomprensión de algunos está en la exigencia de vivir en comunión con El y su Padre.

Incomprensión que por parte de los judíos provoca la confesión de la verdadera fe en Jesús. Reconocerlo como el Santo de Dios y que sólo El posee palabras de vida eterna. Esta fe es un don de Dios para quienes son fieles a su amor -Alianza-.

PASO N°5: ACTUALICEMOS EL TEXTO

Joven: «Señor, ¿a quién iremos? Sólo Tú tienes palabras de vida eterna». Como jóvenes creemos en Ti, Jesús y queremos profesar nuestra fe con palabras y obras. Queremos responderte como lo hicieron tus apóstoles hasta dar nuestra propia vida. Ahora reflexionemos:

- ¿Creo que sin las palabras de Jesús mi vida tendría sentido? ¿Por qué?
- ¿Qué debo hacer para ser fiel seguidor de Jesús?
- ¿Cómo podré lograrlo?

Comparto mi reflexión.

PASO N°6: OREMOS CON EL TEXTO

Joven: Dios nos ha comunicado su amor por su Palabra, nos ha cuestionado a través de la pregunta de Jesús a sus discípulos. Ahora, respondamos a su invitación confirmando nuestra fe en El.

En silencio, me pregunto nuevamente: ¿También, quiero irme?

La respuesta, fruto de su reflexión debe ir en forma de oración, teniendo en cuenta que haremos nuestra profesión de fe -Juan 6,68-69-.

_____

_____

_____

_____

Joven: -Tomando el cirio en sus manos- Cristo es la luz del mundo, quien cree en El no camina en tinieblas. Iluminemos nuestra vida con su luz y dejémonos guiar por su Palabra.

Sintamos la presencia de Jesucristo entre nosotros y proclamemos nuestra fe, compartiendo la respuesta que hoy queremos dar a Jesús.

Cada uno hace su proclamación de fe y todos nos unimos, diciendo: «Señor, ¿a quién iremos? Sólo Tú tienes palabras de vida eterna.

Terminamos rezando el Credo Apostólico -Guía de evaluación N°2-.

Catequista: Demos gracias a Dios por esta celebración de fe que hemos vivido, e invocando la presencia de la Virgen María, partamos gozosos a compartir con otros jóvenes esta experiencia de fe.

CANTO N°7: *Madre de nuestra alegría*

PASO N°7: VIVAMOS LA PALABRA

Ahora que he compartido mi fe. ¿Qué haré en mi vida para no olvidar este compromiso de ser fiel testigo de Jesús?

_____

_____

_____

_____

_____

¡Qué nota!

Preparar el signo Un JOVEN, representado en una silueta de hombre, para el próximo encuentro:

_____   _____

Al encuentro debo llevar siempre la Biblia.

☆ **Para recordar**

> «SEÑOR, SOLO TU TIENES PALABRAS DE VIDA ETERNA»
> *Juan 6,68*

7. FORTALECIDOS POR EL ESPIRITU

LLEGAREMOS A LA META

Hoy experimentaré:

> **Quién es el Espíritu Santo.**
> **Cómo se ha manifestado el Espíritu Santo en mi vida.**
> **La necesidad de pedir la asistencia del Espíritu Santo en mi vida.**

CANTO N°8: *Sigue aquí*

SIGNO: *Un joven -candidato a celebrar la Confirmación-*

OREMOS ✝

Joven: Ven Espíritu Santo, llena nuestros corazones y enciende en nosotros el fuego de tu amor. Envíanos, Señor, tu Espíritu de Piedad...

Todos: Y las cosas serán creadas y renovarás la faz de la tierra.

Catequista: Oh Dios que has derramado tu Espíritu Santo sobre la humanidad como prueba de tu amor, y haces brotar agua viva en nuestros corazones,

Todos: concédenos que este mismo Espíritu llene nuestra vida y nos conduzca a las fuentes de la salvación. Te lo pedimos por Jesucristo Nuestro Señor. Amén.

1 ✮ EN SINTONÍA

Escucho atentamente el canto N°8 «Sigue aquí» y luego reflexiono:

1. ¿Qué personajes aparecen en la canción?
2. ¿Por quién están animados?
3. ¿Qué cosas prueban que el Espíritu de Dios sigue aquí?
4. Respondo ésta en mi cuaderno: ¿He sentido la presencia del Espíritu Santo? ¿Cómo me doy cuenta?

_____

_____

_____

_____

RESUMIENDO:

- El Espíritu Santo es Dios y su presencia nos impulsa a realizar las obras de Dios.
- El Espíritu Santo prepara el corazón del ser humano para la escucha y lo vuelve capaz y deseoso de ser signo de Dios en el mundo.
- Quien acoge la presencia de Dios a través de su Espíritu experimenta la comunión con Dios y con los hermanos.

2 ✮ ESCUCHEMOS A DIOS

Busco en la Sagrada Escritura **Hechos de los Após-toles 2,1-13.** Leo atentamente y luego respondo:

1. ¿Qué sucedió el día de Pentecostés?

_____

_____

_____

2. ¿Qué apareció sobre los discípulos?

_____

_____

_____

3. ¿De qué quedaron llenos?

_____

_____

_____

4. ¿Qué signos se dieron entre los discípulos?

_____

_____

_____

5. ¿Qué actitud tomó la gente ante estos signos?

_____

_____

_____

_____

6. ¿Qué relación encuentro entre el texto y el ejercicio del canto?

_____

_____

_____

_____

_____

3 ✯ Para profundizar

El Espíritu Santo es Dios. **Es Señor y Dador de vida.**
Es *«la Persona divina a través de la cual Dios Padre,
infunde la vida. El es el último «toque» a través del cual
Dios alcanza a sus criaturas y las salva de la no-existencia,
y las conduce a su plenitud»*. Así, estar en el Espíritu
equivale a estar en la vida.

Espíritu Santo es la unión amorosa del Padre y del Hijo y como signo de la
comunión une al pueblo de la Alianza que es hoy la Iglesia. El es quien da
a la Iglesia un solo corazón y una sola alma. El es la fuerza de Dios que
actúa en nosotros cuando nos comprometemos en la construcción del Reino
de Dios.

4 ✯ Actuemos

Después de sentir la presencia del Espíritu Santo, me
pregunto:

1. ¿Cuál de los dones del Espíritu Santo me ha rega-
   lado Dios?

_____

_____

_____

2. ¿Cómo he venido utilizando ese don? ¿Por qué?

_____

_____

_____

5 ✫ CELEBREMOS NUESTRA FE

SIGNO: *Un joven*

En silencio leo la oración «Ven Espíritu Santo» -Guía de evaluación N°19- y subrayo la frase que más me guste.

En intervalos cortos, cada uno lee la frase que escogió. Para terminar, todos proclamamos la oración. Cuando el catequista lo indique.

6 ✫ MANOS A LA OBRA

Realizaré durante la semana, el siguiente ejercicio:

1. Observo en las acciones y actitudes que tenga, con qué dones del Espíritu sirvo a mi comunidad y a mi familia.

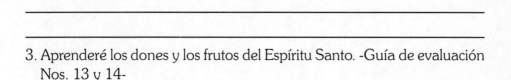

2. Redacto un testimonio con el que comparto el ejercicio anterior.

_____

_____

_____

_____

3. Aprenderé los dones y los frutos del Espíritu Santo. -Guía de evaluación Nos. 13 y 14-

* SER TESTIGO

Comparto el trabajo desarrollado en el taller con un miembro de mi familia y luego reflexiono:

¿Cómo me sentí al hacer el ejercicio?
¿Qué actitud tomó la persona con la que compartí?

¡Qué nota!

Preparar el signo Padrino o Madrina para el próximo encuentro:

_____   _____

Al encuentro debo llevar siempre la Biblia.

7☆ Para recordar

«LAS COSAS DE DIOS NADIE LAS CONOCE SINO
POR EL ESPIRITU DE DIOS»
Primera Corintios 2,11

8.

CONVOCADOS POR EL ESPIRITU

LLEGAREMOS A LA META

Hoy profundizaré en:

> **El sentido de la Iglesia como pueblo de Dios.**
> **La Iglesia como obra del Espíritu Santo.**
> **Mi compromiso como miembro activo de la Iglesia.**

CANTO N°9: *Iglesia somos*

SIGNO: *El padrino o Madrina*

OREMOS ✝

Joven: Ven Espíritu Santo, llena nuestros corazones y enciende en nosotros el fuego de tu amor. Envíanos, Señor, tu Espíritu de Consejo...

Todos: Y las cosas serán creadas y renovarás la faz de la tierra.

Catequista: Oh Dios que has convocado a todos los hombres y mujeres, de todas las razas, pueblos y culturas para formar tu Iglesia,

Todos: enséñanos a vivir como hermanos y danos la gracia de ser y de sentirnos miembros vivos de tu Iglesia. Te lo pedimos por Jesucristo Nuestro Señor. Amén.

1 ✿ En sintonía

Participo activamente en la dinámica del rompecabezas que me presenta el catequista y luego reflexiono:

1. ¿Cómo me sentí al desarrollar el ejercicio?
2. ¿Cuál fue la mayor dificultad que encontré para armar la frase? ¿Por qué?
3. Respondo ésta en mi cuaderno: ¿Qué mensaje me deja la frase? ¿Por qué?

_____

_____

_____

_____

_____

_____

_____

_____

Resumiendo

- Todos somos importantes, por insignificantes que parezcan nuestros aportes.
- Para formar una comunidad, es necesaria la comunicación, la unidad, el respeto y la colaboración.
- Formamos una comunidad que se llama Iglesia.
- Comunidad que necesita ser renovada con nuestros aportes y animada por el Espíritu Santo.

56

2 ☆ ESCUCHEMOS A DIOS

Busco en la Sagrada Escritura **Primera Corintios 12,4-13.27-28a.** Leo atentamente y luego respondo:

1. ¿Quién concede los carismas y servicios en la Iglesia?

_____

_____

2. ¿Para el bien de quién los concede? _____

_____

3. ¿Qué dones y carismas concede?

_____

_____

_____

4. ¿Con qué se compara la diversidad de carismas en la Iglesia?

_____

_____

_____

5. ¿Qué formamos los que hemos recibido los carismas del Espíritu?

_____

_____

_____

6. ¿Qué relación encuentro entre el texto y el ejercicio del rompecabezas?

_____

_____

_____

3 ✲ Para profundizar

La Iglesia la formamos todos los que hemos sido convocados por el Espíritu Santo, el día de nuestro Bautismo.

En la Iglesia, el Espíritu Santo llama a cada uno para encomendarle un servicio o ministerio. Aquí todos somos servidores de la comunidad y servimos a la unidad.

«El Papa es la cabeza de todos los Obispos y de toda la Iglesia, es el sucesor de Pedro, Vicario de Cristo, es el centro de la unidad *visible de toda la Iglesia, es el primer maestro de la fe*». Los Obispos, sucesores de los Apóstoles, fueron instituidos por Cristo como signos vivos de su presencia. Los presbíteros y diáconos son consagrados por el Obispo para colaborar en su misión de guiar al pueblo.

Además de estos ministerios, llamados jerárquicos, existen en la Iglesia otros ministerios *ejercidos* por mujeres y hombres laicos, no ordenados, sino instituidos para la edificación de la Iglesia.

4 ✲ Actuemos

Después de esta reflexión sobre la Iglesia, me pregunto:

1. ¿Me siento miembro activo de la Iglesia? ¿Por qué?
_____

_____

2. ¿Me gustaría participar plenamente en la Iglesia? ¿Por qué?
_____

_____

_____

3. ¿Qué aportaría para renovarla y hacerla cada día mejor?

_____

_____

_____

5 ✶ CELEBREMOS NUESTRA FE

SIGNO: *El Padrino o Madrina*

Escribo el nombre de mi madrina/padrino y hago una oración por ella/él. _____

_____

_____

_____

_____

Cuando el catequista lo indique, comparto la oración. Después de cada oración nos unimos diciendo:

«Que todos, Señor, seamos uno en tu nombre»

Terminamos nuestra celebración con el canto N°9: Iglesia somos.

6 ✶ MANOS A LA OBRA

Realizaré durante la semana el siguiente ejercicio:

1. Comparto con quien será mi padrino/madrina la reflexión de este día.

2. Escribo, en 10 renglones, la experiencia que viví con el ejercicio anterior.

_____

_____

_____

_____

_____

_____

_____

_____

_____

_____

* SER TESTIGO

Comparto el trabajo desarrollado en el taller con un joven que pertenezca a un grupo apostólico de mi parroquia, luego reflexiono:

¿Cómo me sentí al compartir el ejercicio?
¿Qué actitud tomó el joven?

¡QUÉ NOTA!

Preparar el signo UNA SEÑAL, para el próximo encuentro:

_____   _____

Al encuentro debo llevar siempre la Biblia.

«HAY DIVERSIDAD DE CARISMAS, PERO
EL ESPIRITU ES EL MISMO»
Primera Corintios 12,4

9. LOS SACRAMENTOS, SIGNOS DEL ESPIRITU

Llegaremos a la meta

Hoy descubriré:

> Que los sacramentos son signos de la presencia de Dios.
> Cuáles son los sacramentos y qué significan.
> Valorar los sacramentos como signos del Espíritu y medios para el encuentro con Jesús.

Canto N°10: *Yo tengo gozo en mi alma*

Signo: *Una señal*

Oremos ✞

Joven: Ven Espíritu Santo, llena nuestros corazones y enciende en nosotros el fuego de tu amor. Envíanos, Señor, tu Espíritu de Alegría...

Todos: Y las cosas serán creadas y renovaras la faz de la tierra.

Catequista: Oh Dios que nos has dado en los sacramentos una prueba de tu gran amor hacia nosotros, invitándonos a permanecer unidos a ti,

Todos: concédenos la alegría necesaria para celebrar cada uno de los sacramentos y muy especialmente para celebrar nuestra Confirmación con el gozo juvenil que tu Espíritu nos da. Te lo pedimos por Jesucristo Nuestro Señor. Amén.

1 ✰ EN SINTONÍA

Realizo el siguiente encadenado con dos compañeros más:

1. Lo que son los sacramentos
2. Se recibe en la Confirmación
3. Un signo de la Eucaristía
4. Sacramento de servicio
5. Un signo del matrimonio
6. Lo que concede el sacramento de la Penitencia
7. Signo con el que se unge

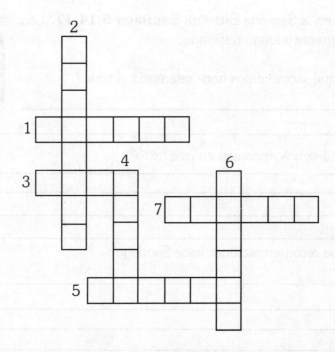

Luego reflexiono:

- De las palabras que encontré, ¿cuáles son conocidas? ¿por qué?

_____

_____

_____

RESUMIENDO

- Los sacramentos son signos que nos ayudan a vivir cerca de Dios.
- Los sacramentos son regalos de Dios para nosotros, con los cuales creamos lazos fuertes de amistad con Dios.
- Los sacramentos los celebramos en la Iglesia, comunidad de hermanos, y en ella debemos vivirlos con amor y compromiso.

2☆ ESCUCHEMOS A DIOS

Busco en la Sagrada Escritura **Santiago 5,14-17.** Leo atentamente y luego respondo:

1. ¿A qué sacramentos hace referencia el texto?

_____

_____

2. ¿Qué signos aparecen en este texto?

_____

_____

_____

3. ¿Qué recomendaciones hace Santiago?

_____

_____

_____

4. ¿Ha experimentado en su vida alguna de estas recomendaciones? ¿Cuál?

_____

_____

_____

5. ¿Qué relación encuentro entre el texto y el ejercicio del encadenado?

_____

_____

_____

3✵ PARA PROFUNDIZAR

Los sacramentos son para el cristiano, hoy, expresiones vivas del amor de Dios que se celebran a través de la acción del Espíritu Santo, el cual no sólo hace posible el sacramento, sino que también permite a cada uno acoger los misterios de Dios.

Es el Espíritu Santo quien nos hace comprender que estos sacramentos son celebraciones comunitarias, porque son de la Iglesia, y nos anima a vivirlas en comunión. Al mismo tiempo que nos ayuda a entender que los sacramentos son signos claros de la alianza que Dios sigue pactando con nosotros hoy.

4✵ ACTUEMOS

Después de esta reflexión, me pregunto:

1. ¿Qué sentido tienen para mí los sacramentos?

_____

_____

_____

2- ¿Cómo los celebro?

_____

_____

3- ¿Cómo me gustaría celebrarlos a partir de hoy? _____

_____

_____

5☆ CELEBREMOS NUESTRA FE

SIGNO: _Una señal_

Pienso cómo puedo ser signo, señal, de la presencia de
Jesús en medio de los jóvenes, y según mi reflexión hago
una oración.

_____

_____

_____

_____

_____

Luego la comparto y terminamos rezando el Padre Nuestro, tomados de
la mano como signo de unidad -Guía de evaluación N°1-. Cuando el
catequista lo indique.

6☆ MANOS A LA OBRA

Realizaré durante la semana el siguiente ejercicio:

1. Participaré en la Eucaristía de la parroquia.
2. Escribo una carta a un joven no cristiano contándole cómo
   es una Eucaristía.
3. Aprenderé los sacramentos -Guía de evaluación N°4-.

* Ser testigo

Comparto el trabajo desarrollado en el taller con un joven que conozco, ojalá alejado de la Iglesia. Luego reflexiono:

¿Cómo me sentí al hacer el ejercicio?
¿Qué actitud tomó el joven?

¡Qué nota!

Preparar el signo El Agua, para el próximo encuentro:

_____   _____

Al encuentro debo llevar siempre la Biblia.

7☆ Para recordar

«QUE OREN POR EL ENFERMO Y QUE LO UNJAN CON OLEO
EN EL NOMBRE DEL SEÑOR»
Santiago 5,14

10.

HAY QUE NACER DEL ESPIRITU

LLEGAREMOS A LA META

Hoy comprenderé:

> **Que el Bautismo me hace hijo de Dios y miembro de la Iglesia.**
> **La necesidad de renovar constantemente mi Bautismo.**
> **Que por el Bautismo recibí la misión de ser testigo de Jesús.**

CANTO Nº11: *Mi Dios está vivo*

SIGNO: *El agua*

OREMOS ✝

Joven: Ven Espíritu Santo, llena nuestros corazones y enciende en nosotros el fuego de tu amor. Envíanos, Señor, tu Espíritu de Amor...

Todos: Y las cosas serán creadas y renovarás la faz de la tierra.

Catequista: Oh Dios que has dado a los seres humanos la gracia de ser tus hijos por el nacimiento del agua y del Espíritu,

Todos: te pedimos nos concedas la capacidad de valorar nuestro bautismo y de renovar los compromisos que un día nuestros padres y padrinos hicieron en nombre nuestro. Te lo pedimos por Jesucristo Nuestro Señor. Amén.

1 ✩ En sintonía

Realizo el siguiente ejercicio con dos compañeros más:

1. ¿Qué entienden por bautizar?
2. ¿Quiénes participan en un bautismo?
3. ¿Qué palabras o frases se resaltan en un bautismo?
4. ¿Para qué se bautiza?
5. Respondo ésta en mi cuaderno: ¿Para qué me sirve haber sido bautizado?

_____

_____

Resumiendo

- El bautismo en todas las religiones es un signo de pertenencia a una comunidad y de participación para iniciar una vida nueva.
- El bautismo en la Iglesia católica es pertenencia a Dios Padre, Hijo y Espíritu Santo que nos compromete a vivir como hijos suyos.
- Ser hijos de Dios por el bautismo nos hace personas capaces de vivir en unidad y paz con los demás y con la naturaleza.

2 ✩ Escuchemos a Dios

Busco en la Sagrada Escritura **Juan 3,1-8**. Leo atentamente y luego respondo:

1. ¿Quién era Nicodemo? _____

_____

2. ¿Qué dice Nicodemo a Jesús?

_____

_____

_____

3. ¿Qué responde Jesús?

_____

_____

_____

4. ¿Qué significa para Jesús, nacer de nuevo?

_____

_____

_____

_____

5. ¿Con qué compara Jesús al Espíritu?

_____

_____

_____

6. ¿Alguna vez he vivido la experiencia de «nacer de nuevo»? ¿Cómo me doy cuenta? _____

_____

_____

7- ¿Qué relación encuentro entre el texto y el ejercicio «En sintonía»?

_____

_____

_____

_____

_____

_____

3✶ Para profundizar

El Bautismo es el primero de los sacramentos. Junto a la Confirmación y la Eucaristía forman lo que llamamos sacramentos de iniciación cristiana. A través del Bautismo nacemos a la vida de Dios, gracias a él podemos, en el Espíritu, llamar Padre a Dios. Por el Bautismo entramos a participar de la Nueva Alianza instaurada por Jesús con su Muerte y Resurrección.

Por el Bautismo, nuestro cuerpo se convierte en templo del Espíritu Santo y nos impulsa por el mismo Espíritu a ser como El, santos. Es verdad que sin el nacimiento biológico, el ser humano no puede existir, lo mismo sucede con el bautismo, sin él no podemos participar plenamente del Reino de Dios, porque se trata de nacer de arriba, del Espíritu.

4✶ Actuemos

Después de esta reflexión, me pregunto:

1. ¿Me siento hijo de Dios y miembro activo de la Iglesia? ¿Por qué?

_____

_____

_____

2. ¿Al querer confirmarme estoy dispuesto a vivir plenamente mi bautismo? ¿Cómo? _____

_____

_____

_____

5 ✮ CELEBREMOS NUESTRA FE

SIGNO: *El Agua*

¿A qué cosas renuncio, a partir de lo que he reflexionado?

_____

_____

_____

Mientras cantamos «Mi Dios está vivo» -Canto Nº11-, paso hasta el recipiente sostenido por el catequista y mojo mi dedo pulgar derecho, después hago una cruz sobre mi frente.

Ahora nos unimos de la mano para rezar juntos el Credo Apostólico -Guía de evaluación Nº2-.

6 ✮ MANOS A LA OBRA

Realizaré durante el mes, el siguiente ejercicio:

1. Participaré en la celebración de un bautismo, observo y escribo:

¿Qué signos se resaltan? _____

_____

_____

¿Qué actitud tienen los padres y padrinos en la celebración?

_____

_____

¿Qué me gustó más de la celebración? _____

_____

_____

2. Redacto en 10 renglones la experiencia que viví.

_____

_____

_____

_____

_____

_____

_____

_____

_____

_____

3. Aprenderé el Credo Apostólico -Guía de evaluación N°2-

* SER TESTIGO

Invito a un amigo a participar también en la celebración del bautismo y luego reflexiono:

¿Cómo me sentí invitando y participando con mi amigo en la celebración? ¿Por qué?
¿Qué actitud tomó mi amigo?

¡QUÉ NOTA!

Preparar el signo MANOS ESTRECHADAS, para el próximo encuentro:

_____   _____

Al encuentro debo siempre llevar la Biblia.

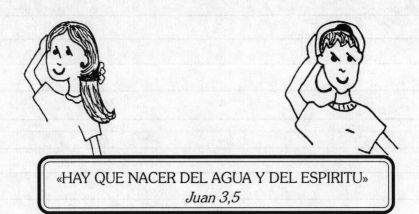

«HAY QUE NACER DEL AGUA Y DEL ESPIRITU»
Juan 3,5

11. VOLVER A EMPEZAR...

LLEGAREMOS A LA META

Hoy debo reconocer:

> **Qué es el pecado.**
> **Las diversas clases de pecado.**
> **Que la misericordia de Dios es más grande que mis pecados.**

CANTO Nº12: *Yo soy testigo del poder de Dios*

SIGNO: *Manos estrechadas*

OREMOS ✝

Joven: Ven Espíritu Santo, llena nuestros corazones y enciende en nosotros el fuego de tu amor. Envíanos, Señor, tu Espíritu de Misericordia...

Todos: Y las cosas serán creadas y renovarás la faz de la tierra.

Catequista: Oh Dios que en tu gran misericordia has dado al ser humano la capacidad de arrepentirse de sus faltas y de emprender el viaje de regreso a tu casa,

Todos: concédenos tu Espíritu Señor, para tener el valor de reconocer nuestros pecados y la capacidad de pedirte perdón, confiados en que tu Misericordia es más grande que nuestras propias faltas. Te lo pedimos por Jesucristo Nuestro Señor. Amén.

1 ✰ EN SINTONÍA

Participo activamente en el ejercicio que el catequista me presenta:

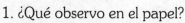

1. ¿Qué observo en el papel?
2. ¿Por qué sobresale más el punto negro que todo el blanco del papel?
3. ¿Qué cosas en mi vida podrían representar el punto negro? ¿Por qué?
4. Respondo ésta en mi cuaderno: ¿Alguna vez he experimentado que los otros notan más mis puntos negros? ¿Por qué?

_____

_____

_____

RESUMIENDO

- Por el bautismo hemos sido purificados, sin embargo, nuestras malas acciones manchan la limpieza de nuestro corazón.

- Por insignificantes que parezcan nuestras faltas, causan daño no sólo a nuestra vida sino también a la vida de los demás.

- Debemos procurar como cristianos, ungidos por el Espíritu Santo, mantener limpia nuestra vida y ayudar a otros a limpiarla también.

2 ☆ ESCUCHEMOS A DIOS

Busco en la Sagrada Escritura **Efesios 4,17-32.** Leo atentamente y luego respondo:

1. ¿Qué advertencia hace San Pablo?

_____

_____

2. ¿Cómo se manifiesta el hombre viejo?

_____

_____

3. ¿Cómo se manifiesta el hombre nuevo?

_____

_____

4. ¿A quién no debemos entristecer?

_____

_____

5. ¿A quién me parezco más, al hombre viejo o al hombre nuevo? ¿En qué me doy cuenta?

_____

_____

_____

6. ¿Qué relación encuentro entre el texto y el ejercicio «En sintonía»?

_____

_____

_____

_____

3 ⭐ Para profundizar

El pecado es un abuso de la libertad que Dios otorga a las personas, creadas para que puedan amarle y amarse mutuamente. Entendemos por libertad «*el poder radicado en la razón y en la voluntad de obrar o de no obrar, de hacer esto o aquello, de ejecutar así o por sí mismo acciones deliberadas. Por el libre arbitrio cada uno dispone de sí mismo. La libertad es en el hombre una fuerza de crecimiento y de maduración en la verdad y en la bondad*».

El pecado es desconocer el amor de Dios, ser desagradecidos con El y ofenderlo desobedeciendo los mandamientos de la Alianza. El pecado deshumaniza y degrada a la persona, la hace menos humana.

Pecado es decir no a Dios, es rechazar su amor misericordioso y optar por el mal libremente, mal que perjudica en primer lugar al mismo ser humano. El pecado es el punto negro en la blanca amistad entre Dios y el ser humano.

4 ⭐ Actuemos

Después de esta reflexión, me pregunto:

1. ¿Qué puntos negros debo sacar de mi vida?

_____

_____

_____

2. ¿Qué cosas debo hacer para revestirme del hombre nuevo?

_____

_____

_____

_____

_____

5 ✯ Celebremos nuestra fe

Signo: *Manos estrechadas*

Recorro los cinco pasos para hacer una buena confesión -Guía de evaluación N°8- y centrando mi mirada en el examen de conciencia, respondo:

¿Qué cosas me alejan del amor de Dios y de mis hermanos? En silencio, escribo mi reflexión.

_____

_____

_____

_____

Para terminar rezamos juntos el salmo 50 -Oración N°5- Cuando el catequista lo indique.

6 ✯ Manos a la obra

Realizaré durante la semana el siguiente ejercicio:

1. Borraré un punto negro que esté afectando mi relación con mi familia.
2. Escribo una oración de acción de gracias por lo que he podido lograr. _____

_____

_____

3. Aprenderé los pasos para una buena confesión -Guía de evaluación N°8-

* Ser testigo

Comparto un rato libre con una persona que «no me cae muy bien» y le digo sinceramente alguna cualidad. Luego reflexiono:

¿Cómo me sentí al hacer el ejercicio?
¿Qué actitud tomó esta persona?

¡Qué nota!
Preparar el signo Una planta seca o un chamizo, para el próximo encuentro

---

Al encuentro debemos llevar siempre la Biblia. Próximo encuentro celebración de la Reconciliación.

7⚛ Para recordar

«NO ENTRISTEZCAN AL ESPIRITU DE DIOS»
Efesios 4,30

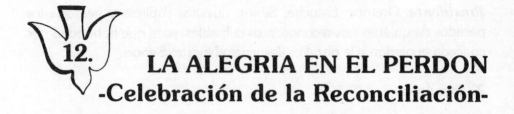

12. LA ALEGRIA EN EL PERDON
-Celebración de la Reconciliación-

LLEGAREMOS A LA META

Hoy experimentaré:

> **El amor misericordioso de Dios.**
> **La asistencia del Espíritu Santo para pedir perdón.**
> **La alegría del encuentro con Dios y con los hermanos.**

CANTO N°13 : *La alegría en el perdón*

SIGNO: *Una planta seca o un chamizo*

Presidente: En el Nombre del Padre, del Hijo y del Espíritu Santo. ✝

Todos: Amén.

Monitor: Nos hemos reunido en torno a la Palabra de Dios para celebrar el sacramento de la Reconciliación. Este nos preparará para celebrar con mayor responsabilidad nuestra Confirmación.

Presidente: La gracia, la misericordia y la paz de Dios Padre y de Jesucristo, su Hijo, en la verdad y en el amor, esté con todos nosotros.

Todos: Bendito sea Dios que nos reúne en el amor de Cristo.

Presidente: Oremos. Escucha, Señor, nuestras súplicas y perdona los pecados de quienes nos reconocemos culpables, para que tu bondad nos conceda el perdón y la paz. Por Jesucristo Nuestro Señor.

Todos: Amén.

Monitor: -espera que todos se sienten- Las Palabras de Dios traen luz y consuelo, paz y misericordia a nuestras vidas. Abramos pues nuestros corazones para recibirlas con alegría.

Primera Lectura: Dt 5,1-3.6-7.11-12; Ef 5,1-14; Is 1,10-18; Ez 36,22-30.

SALMO RESPONSORIAL

Respuesta: «Renuévame por dentro con espíritu firme» -Oración Nº5-

Canto Nº3: «Tus palabras alientan mi vida, tu presencia conforta mi fe. Eres vida, verdad y camino, eres fuerza que ayuda a vencer»

Evangelio: Lc 19,1-10; Lc 15,1-7; 15,8-10; 15,11-32; Mt 25,14-30; Mt 25,31-46.

HOMILÍA PARTICIPADA

Resaltar:
- La misericordia del Señor.
- La importancia del sacramento de la Reconciliación.
- Los pecados me son perdonados en el nombre del Padre, del Hijo y del Espíritu Santo.

Presidente: En un momento de silencio, reconozcamos nuestras faltas delante de Dios. Todos tengamos presentes las cinco cosas que se necesitan para hacer una buena confesión -Guía de evaluación Nº8-.

- Repartir una papeleta en blanco a cada uno, allí escriben los pecados de los cuales los jóvenes de hoy deben pedir perdón a Dios y la colocan sobre la planta seca o chamizo que ha sido previamente preparado-.

Cuando todos han colocado su papeleta, el presidente de la Asamblea los invita a pedir perdón en comunidad:

Todos de pie: Yo confieso. -Guía de evaluación Nº5-

Presidente: Dios todopoderoso, tenga misericordia de nosotros, perdone nuestros pecados y nos lleve a la vida eterna.

Todos: Amén.

Presidente: Supliquemos a Dios, nuestro Padre, que espera a todos sus hijos arrepentidos, nos reciba misericordiosamente en este día.

Catequista: Perdona, Señor, por tu misericordia lo que hemos cometido contra la unidad de tu familia, la Iglesia,

Todos: y concédenos tener un solo corazón y una sola alma.

Catequista: Hemos pecado, Señor, hemos pecado, pero reconocemos tu misericordia,

Todos: borra nuestras maldades con tu gracia salvadora y haz que volvamos a ti, Señor.

Catequista: Haz que, por una sincera conversión, alimentemos más tu amistad,

Todos: y reparemos las ofensas contra tu sabiduría y tu bondad.

Catequista: Mueve a todos los que se apartaron de ti por sus pecados y escándalos,

Todos: para que regresen a ti y permanezcan en tu amor.

Catequista: Tú, que te entregaste a la muerte en cruz para librarnos del pecado,

Todos: recíbenos arrepentidos y consuélanos con tu amor.

Catequista: Tú, que por la fuerza del Espíritu Santo te ofreciste sin pecado a Dios,

Todos: concédenos este mismo Espíritu para que reconozcamos nuestros pecados y tengamos el coraje de confesarlos.

Presidente: Dios rico en misericordia, escucha nuestras súplicas y concédenos el don del arrepentimiento. Por Jesucristo Nuestro Señor.

Todos: Amén.

-CONFESIÓN INDIVIDUAL-

Monitor: Hermanos, ahora confesemos nuestros pecados y oremos unos por otros, para que obtengamos el perdón.

Al terminar la **confesión individual** cada uno pasa, en orden, y toma una papeleta del árbol, la deposita en una vasija previamente preparada con fuego, para quemarlas.

Presidente: Dios Padre nuestro, tú perdonaste nuestros pecados y nos diste tu paz, concédenos perdonarnos siempre los unos a los otros; y ser en el mundo promotores de la paz. Por Jesucristo Nuestro Señor.

Todos: Amén.

Presidente: Reconciliados con Dios y con nuestros hermanos, oremos como Jesús nos enseñó: Padre nuestro...

Presidente: Expresemos nuestra reconciliación con todas aquellas personas que hemos ofendido, dándonos fraternalmente un saludo de paz.

Canto: N°14: La paz esté con nosotros N°15: Shalom para ti

Presidente: El Padre que nos engendró a la vida, nos bendiga.

Todos: Amén.

Presidente: El Hijo, que por nosotros murió y resucitó, nos conceda la salvación.

Todos: Amén.

Presidente: El Espíritu Santo, que ha sido infundido en nuestros corazones y nos conduce por el camino recto, nos santifique.

Todos: Amén.

Presidente: Con alegría porque el Señor ha perdonado nuestros pecados, vayamos en paz.

Todos: Demos gracias a Dios.

Canto final N°16: Hoy he vuelto.

¡Qué nota!
Preparar el signo IMPOSICIÓN DE MANOS, para el próximo encuentro:

_____   _____

Al encuentro debo llevar siempre la Biblia.

«BUSQUEN LO QUE AGRADA AL SEÑOR»

Efesios 5,10

13. SACRAMENTO DE LA MADUREZ CRISTIANA

LLEGAREMOS A LA META

Hoy tomaré conciencia de:

> **Cuál es el origen del sacramento de la Confirmación. Valorar la Confirmación como el sacramento de la madurez cristiana.**
> **Vivir con seriedad el compromiso que el sacramento encierra.**

CANTO Nº17: *La fuerza escondida*

SIGNO: *Imposición de manos*

OREMOS ✝

Joven: Ven Espíritu Santo, llena nuestros corazones y enciende en nosotros el fuego de tu amor. Envíanos, Señor, tu Espíritu de Valentía...

Todos: Y las cosas serán creadas y renovarás la faz de la tierra.

Catequista: Oh Dios que nos has enviado tu Espíritu, para infundirnos valor y decisión, y conducirnos a la verdad plena,

Todos: concédenos la gracia de comprometernos con sinceridad como personas adultas en la fe, y muéstranos el camino que debemos seguir para vivir seriamente nuestro compromiso contigo en la Iglesia. Te lo pedimos por Jesucristo Nuestro Señor. Amén.

1☆ En sintonía

Realizo el siguiente ejercicio con dos compañeros más:

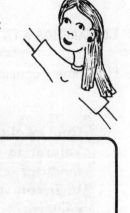

1. Dibujen la silueta de un joven.
2. Ubiquen ese joven en el año 2020 -imaginen las características de la sociedad de ese tiempo-

3. Escriban dentro de la silueta qué características o cualidades debe tener este joven cristiano, confirmado para ser signo de Cristo en su tiempo.
4. Respondo ésta en mi cuaderno: ¿Qué consejo daría a este joven?

_____

_____

_____

_____

Resumiendo

- No basta con ser bautizados y decir que somos cristianos, necesitamos hacer crecer la fe que recibimos para ser adultos.
- Celebrar el sacramento de la Confirmación nos capacita para ser testigos de Cristo con la fuerza de su Espíritu.
- Dar a los otros lo que hemos recibido es la mejor muestra de madurez cristiana.

2 ✬ Escuchemos a Dios

Busco en la Sagrada Escritura **Mateo 19,16-22.** Leo atentamente y luego respondo:

1. ¿Qué preguntó el joven a Jesús? _____

_____

_____

2. ¿Qué respondió Jesús? _____

_____

_____

3. ¿Qué replicó el joven? _____

_____

_____

4. ¿Qué le faltaba al joven para lograr lo que quería? _____

_____

_____

5. ¿Qué actitud tomó el joven? ¿Por qué?

_____

_____

_____

6. ¿He tenido actitudes semejantes a las del joven? ¿Cuándo?

_____

_____

7. ¿Qué relación encuentro entre el texto y el ejercicio «En sintonía»?

_____

_____

_____

3☆ Para profundizar

El cristiano adulto, es aquel que con la fuerza del Espíritu Santo asume su responsabilidad dentro de la Iglesia, colocando sus dones y carismas al servicio de todos.

La Confirmación da al cristiano la capacidad de vencer las dificultades de la vida diaria, le da la gracia de ser luz y sal, de anunciar a Jesucristo y hacer a muchos, discípulos de Cristo. Es decir, la Confirmación nos consagra para ser testigos de Cristo en el mundo.

4☆ Actuemos

Después de esta reflexión, me pregunto:

1. ¿Me considero un cristiano maduro para celebrar la Confirmación? ¿Por qué?

_____

_____

2. ¿Qué me hace falta para asumir con responsabilidad este compromiso?

_____

_____

5✩ CELEBREMOS NUESTRA FE

SIGNO: *Imposición de manos*

Medito el salmo 138 -Oración N°6-, resaltando lo que más me llama la atención.

Después en intervalos cortos de tiempo comparto las frases que más me gustaron.

Terminamos rezando, en dos grupos, el salmo. Cuando el catequista lo indique.

6✩ MANOS A LA OBRA

Realizaré durante la semana el siguiente ejercicio:

1. Observaré en mi comunidad qué personas son maduras en la fe y escribo: Qué hacen.
2. Redacto en una historia el testimonio de una de ellas. _____

_____

_____

_____

_____

_____

_____

_____

3. Aprenderé la invocación al Espíritu Santo -Guía de evaluación N°12-.

* Ser testigo

Comparto el trabajo desarrollado en el taller con un miembro de mi familia. Luego reflexiono:

1. ¿Cómo me sentí al hacer el ejercicio?
2. ¿Qué actitud tomó la persona con la cual compartí?

¡Qué nota!
Preparar el signo Lenguas de fuego, para el próximo encuentro:

_____   _____

Al encuentro debo llevar siempre la Biblia.

7✶ Para recordar

«CUANDO ME HICE HOMBRE ACABE CON LAS COSAS DE NIÑO»
Primera Corintios 13,11

14. CONSAGRADOS POR EL ESPÍRITU

Hoy comprenderé:

> Que la Confirmación es el sacramento que me consagra para ser testigo de Jesús.
> Que el Espíritu Santo recibido en la Confirmación me impulsa para dar testimonio de Dios en el mundo.
> Que dar testimonio como joven cristiano significa realizar acciones concretas en favor de la comunidad.

CANTO N°18: *El profeta*

SIGNO: *Lenguas de fuego*

OREMOS ✝

Joven: Ven Espíritu Santo, llena nuestros corazones y enciende en nosotros el fuego de tu amor. Envíanos, Señor, tu Espíritu de Humildad...

Todos: Y las cosas serán creadas y renovarás la faz de la tierra...

Catequista: Oh Dios que nos has iluminado con la luz de tu Espíritu para que respondamos al llamado de nuestra Iglesia a consagrarnos definitivamente a ti por la celebración de la Confirmación,

Todos: te pedimos que nos ayudes a responder con humildad y sencillez a tu llamado y que la consagración que haremos de nuestras vidas a ti, en la Confirmación, nos dé la gracia de perseverar hasta el final. Por Jesucristo Nuestro Señor. Amén.

1☆ EN SINTONÍA

Leo atentamente la siguiente historia y respondo las siguientes preguntas:

«Hace más de 50 años y con $500.oo en el bolsillo inicié mi búsqueda de Jesús entre la gente. En aquel tiempo debí parecer una mujer salida de sí, especialmente, cuando con mi sari -hábito- blanco limpiaba el polvo en las calles de Calcuta, y me dejaba tocar por niños hambrientos y hombres moribundos que pedían ayuda.

Yo, Teresa, extranjera en medio de ellos no podía darles un peso, por el simple hecho que no tenía. Lo único que poseía era a Jesús, sí, el amor de Jesús que desbordaba mi corazón.

Un día, en medio de tanta miseria, dije: Teresa, así tan diminuta y frágil como eres, pareces un pequeño lápiz, un lápiz pequeño en las manos de Dios, el cual El maneja para pintar un mundo distinto, más bello y lleno de luz para todos; y sabe, me gusta esta imagen del lápiz, creo que alguien desde el cielo me la inspiró.

Hoy, creo, después de tantos años que Jesús me llamó, me impulsó a una vida nueva con la gente de la infinita Calcuta del mundo.»

-Teresa de Calcuta, Il personaggio, di Pablo Sartori-.

1. ¿Qué buscaba Teresa?
2. ¿Qué pensaba la gente de ella?
3. ¿Qué era lo único que tenía Teresa?
4. ¿Cómo se sentía Teresa delante de Dios?

5. ¿De qué estaba convencida Teresa?

6. Respondo ésta en mi cuaderno: ¿Conozco alguna persona como Teresa? ¿Qué hace? _____

_____

_____

_____

_____

RESUMIENDO

- Dios elige y dona su Espíritu a quienes serán sus testigos.
- Los dones que Dios nos da son para ponerlos al servicio de los demás y para que produzcan frutos abundantes.
- Al recibir el bautismo y confirmar nuestra fe con el don del Espíritu Santo, empezamos a ser signos, luz y sal, para el mundo.

2 ☆ ESCUCHEMOS A DIOS

Busco en la Sagrada Escritura **Lucas 4,14-22**. Leo atentamente y luego respondo:

1. ¿A dónde entró Jesús? _____

_____

2. ¿Qué pasaje bíblico leyó? _____

_____

_____

3. ¿Qué afirmación hizo después? _____

_____

_____

4. ¿Qué actitud tomó la gente? _____

_____

_____

5. ¿De qué estaba convencido Jesús? _____

_____

_____

6. ¿Qué relación encuentro entre el texto y el ejercicio «En sintonía»?

_____

_____

_____

_____

3 ☆ PARA PROFUNDIZAR

Ser consagrado significa:
- Aceptar a Jesús y seguirlo, nacer de nuevo.
- Unirse a los hermanos en la lucha por construir un mundo mejor.
- Comprometerse con la justicia y defender los derechos de los más débiles.
- Luchar por la verdadera libertad para todas las personas.
- Tomar conciencia y ayudar a otros a comprender que por encima del ser humano solamente está Dios, que es Padre de todos.
- Tomar en serio la responsabilidad sobre los bienes creados y ayudar a proteger la creación y el medio ambiente.

En la Confirmación todos somos consagrados para el apostolado, por tal motivo, tenemos derecho a agruparnos para trabajar y lograr que el mensaje de la salvación sea conocido y recibido por todas las personas y en toda la tierra; este derecho y obligación. es tanto más apremiante cuando sólo a través de nosotros los demás pueden oír el Evangelio y conocer a Cristo.

4 ✠ Actuemos

Después de esta reflexión, me pregunto:

1- ¿Qué acciones concretas debo hacer como joven cristiano? _____

_____

_____

2- ¿En qué grupo o comunidad lo haré mejor? ¿Por qué?

_____

_____

_____

5 ✠ Celebremos nuestra fe

Signo: *Lenguas de fuego*

Escribo a Dios una carta para pedir el don del Espíritu Santo que más necesite. -Lo puedo hacer a través de un fax, un telegrama o utilizando el internet-.

Comparto mi reflexión.

_____

_____

_____

_____

_____

_____

_____

_____

_____

Para terminar, nos remitimos a la oración del «Oremos» que hicimos al iniciar el encuentro. Cuando el catequista lo indique.

Canto Nº18: *El Profeta*

6✮ Manos a la obra

Realizaré durante la semana, el siguiente ejercicio:

1. Preguntaré a personas competentes ¿qué es una convivencia vocacional?
2. ¿Por qué son importantes las convivencias vocacionales?
3. Escribir las respuestas y la actividad apostólica de quien respondió.

_____

_____

_____

_____

_____

_____

_____

_____

4. Aprenderé «el himno al Espíritu Santo» -Guía de evaluación No.11-.

* Ser testigo

Comparto con un amigo la reflexión de este encuentro y mi deseo de vivir el compromiso bautismal. Luego reflexiono:

¿Cómo me sentí al hacer el ejercicio?
¿Qué actitud tomó mi amigo?

¡Qué nota!

Preparar el signo SANDALIAS, para el próximo encuentro:

_____

Durante el próximo encuentro se desarrollará la convivencia vocacional, debemos traer el almuerzo para compartir. Será todo el día.

A la convivencia debo llevar la Biblia.

7★ PARA RECORDAR

«EL ESPIRITU DEL SEÑOR ESTA SOBRE MI, ME HA CONSAGRADO PARA DAR LA BUENA NOTICIA A LOS POBRES»
Lucas 4,18

15.

Y SE QUEDARON CON EL
-Convivencia-

LLEGAREMOS A LA META

Hoy comprenderé:

> Que toda persona debe hacer opciones en la vida para realizarse plenamente.
> Que la vida cristiana es una vocación que exige una opción libre y consciente.
> Que la vida cristiana ofrece una gran variedad de medios o vocaciones específicas donde puedo realizarme plenamente como persona e hijo de Dios.

CANTO N°19: *Arriésgate*

SIGNO: *Sandalias*

I.ORACIÓN INICIAL: LECTURA SANTA: «Y SE QUEDARON CON ÉL»

1. ¿Qué dice el texto?

Proclamación del Evangelio según san Juan 1,35-50.
- Frases que más llaman la atención
- Verbos que se repiten
- Idea central del texto
Compartir.

2. ¿Qué me dice el texto?

Se proclama nuevamente el texto.
- ¿Qué frase ilumina mi vida?
- ¿Qué diferencias encuentro entre mi vida y el texto?
- ¿De qué verbo me puedo apropiar para trabajarlo en mi vida? ¿Por qué?

Compartir.

3. ¿Qué me hace decir el texto?

Lea nuevamente el Evangelio de Juan 1,38-39.
- Cierre los ojos y formule nuevamente, hoy, la pregunta a Jesús: «Maestro, ¿dónde vives?»
- Escriba en forma de oración la respuesta de Jesús.

Oración comunitaria

El catequista motivará la oración para que todos participen. Después de cada oración cantamos:

«Enséñame, Señor, tus caminos» (2).

Terminar la oración con la invocación a la Virgen María.

CANTO N°23: *María es esa mujer*

II. DINÁMICA: «PERSONAJES»

Participo activamente en la dinámica que el catequista me presenta. Luego analizo:

- ¿Qué personaje escogí y por qué?

_____

_____

_____

Los grandes protagonistas recibieron consciente o inconscientemente una llamada -vocación- que los ayudó a realizarse plenamente como personas.

III. El seguimiento de Jesucristo

Trabajo en grupo:

1. ¿Alguna vez han seguido a una persona? ¿Por qué? ¿Con qué objeto?

_____

_____

2- ¿Han tenido en su vida alguna experiencia de encuentro con Jesús? ¿Cómo se dan cuenta?_____

_____

_____

3- ¿Alguna vez les han hablado de la vocación? ¿Qué les han dicho?

_____

_____

_____

Plenaria

IV. Testimonio de seguimiento de Jesús

Escribo la pregunta que haré a los invitados:

_____

_____

_____

_____

V. NUESTRO COMPROMISO, HOY

Trabajo en grupo:

1. Elaborar un ACRÓSTICO, siguiendo las indicaciones del catequista, donde expresen lo que quisieran ser y hacer a partir de la reflexión de hoy.
2. Escribir una oración al Señor, según el acróstico que acaban de hacer.

_____

_____

_____

_____

_____

_____

☆ CELEBREMOS NUESTRA FE

Después de cada oración, cantamos:

> «Id amigos por el mundo, anunciando el amor,
> mensajeros de la vida, de la paz y el perdón.
> Sed amigos los testigos de mi Resurrección,
> id llevando mi presencia, con vosotros estoy».

Termina la celebración con la oración por las vocaciones -Oración N°7-.
Cuando el catequista lo indique.

☆ MANOS A LA OBRA

Realizaré durante la semana el siguiente ejercicio:

1. Elaboro en media cartulina el acróstico.

* Ser testigo

Comparto la experiencia de hoy con un amigo del colegio o del trabajo.
Luego reflexiono:

¿Cómo me sentí al hacer el ejercicio?
¿Qué actitud tomó mi amigo?

¡Qué nota!

Preparar el signo Aceite-unción, para el próximo encuentro:

Al encuentro debo llevar siempre la Biblia.

☆ Para recordar

«VENGAN Y VEAN»
Juan 1,39

16. SIGNOS DE LA CONFIRMACIÓN

Llegaremos a la meta

Hoy lograré:

> Conocer y valorar los signos específicos del sacramento de la Confirmación.
> Comprender mi responsabilidad al celebrar este sacramento.
> Tomar conciencia del compromiso que voy a adquirir.

Canto N°20: *Ilumíname, Señor, con tu Espíritu*

Signo: *Aceite-unción*

Oremos ✝

Joven: Ven Espíritu Santo, llena nuestros corazones y enciende en nosotros el fuego de tu amor. Envíanos, Señor, tu Espíritu de Justicia...

Todos: Y las cosas serán creadas y renovarás la faz de la tierra.

Catequista: Oh Dios que te has manifestado a la humanidad a través de signos sensibles para que podamos comprender tu grandeza,

Todos: concédenos la docilidad para entender todas las realidades divinas que nos manifiestas a través de signos, y que al comprenderlas nos acerquen a ti, sol de justicia y a nuestros hermanos. Te lo pedimos por Jesucristo Nuestro Señor. Amén.

1☆ En sintonía

Busco en la sopa de letras **26 palabras** relacionadas con el sacramento de la Confirmación:

C	R	I	S	T	O	K	X	S	O	N	A	M
O	O	L	L	E	S	N	O	D	A	T	A	S
M	B	N	O	I	C	N	U	M	S	M	U	O
U	I	S	F	Q	W	K	S	E	O	P	T	I
N	S	O	A	I	K	I	I	R	A	N	I	D
I	P	N	M	W	R	F	K	L	E	D	R	S
D	O	I	I	C	J	M	A	M	A	M	I	A
A	N	R	L	K	C	B	A	D	O	I	P	M
D	G	D	I	W	R	R	E	C	N	S	S	S
E	I	A	A	A	C	I	U	K	I	I	E	I
F	S	P	S	A	P	P	A	Z	E	O	S	R
K	A	I	S	E	L	G	I	W	R	N	N	A
P	E	N	T	E	C	O	S	T	E	S	V	C

Después de realizar este ejercicio, respondo las siguientes preguntas:

1. ¿Qué dificultad encontré al realizar el ejercicio?
2. ¿Escuché, anteriormente estas palabras? ¿Cuándo?
3. ¿Cuáles de estas palabras considero que son signos? ¿Por qué?

_____

_____

_____

_____

RESUMIENDO

- Los signos son imágenes que esconden realidades profundas.
- En el sacramento de la Confirmación encontramos signos que nos ayudan a comprender adecuadamente lo que Dios desea comunicarnos a través de su Espíritu.
- Es muy importante comprender el significado de los signos que se emplean en la celebración de la Confirmación para que vivamos el sacramento con una conciencia más plena.

2☆ ESCUCHEMOS A DIOS

Busco en la Sagrada Escritura **Hechos 8,14-17.** Leo atentamente y luego respondo:

1. ¿Qué noticia le llegó a los apóstoles de Samaría?

_____

_____

2. ¿A quiénes les enviaron?

_____

_____

3. ¿Qué hicieron los apóstoles allí?

_____

_____

4. ¿Qué signo utilizaron? _____

_____

5. ¿A quién recibieron los samaritanos?

_____

_____

_____

6. ¿Qué relación encuentro entre el texto y el ejercicio de la Sopa de Letras?

_____

_____

_____

3☆ PARA PROFUNDIZAR

Unida la unción con las palabras pronunciadas por el Obispo, se constituye el rito de la Confirmación. En este momento se transmite el Espíritu Santo. Para signar la cruz en el confirmando, se utiliza aceite de oliva perfumado que ha sido consagrado por el Obispo el Jueves Santo en la Misa Crismal. *«El sacramento de la Confirmación* se confiere por la unción con el crisma  en la frente, que se hace por medio de la imposición de manos y al que acompañan las *palabras: N. N. recibe el sello del don del Espíritu Santo».*

Con la unción y las palabras el bautizado queda sellado, es decir, consagrado para participar plenamente en la misión de Jesucristo. Al ser sellado con el óleo perfumado recibe un carácter indeleble -que no se borra-, al mismo tiempo el don del Espíritu Santo, lo cual configura más perfectamente a Cristo y le da la gracia para difundir entre las personas el buen olor de Cristo -Segunda Corintios 2,15-. Así como él hizo sentir la presencia del Padre en medio de la humanidad, el cristiano que ha sido confirmado ha de hacer sentir la presencia de Cristo en todos los ambientes.

4★ ACTUEMOS

Después de esta reflexión, me pregunto:

1. ¿Qué temores o dudas tengo con respecto a celebrar este sacramento? ¿Por qué?

_____

_____

_____

_____

2. ¿Qué debo hacer para superarlas?

_____

_____

_____

5★ CELEBREMOS NUESTRA FE

SIGNO: *Aceite-unción*

Joven: Señor, somos débiles, en nuestro interior nos acechan las dudas, vivimos días de oscuridad, pero tú eres la luz, tú eres nuestra fortaleza.

Ahora recordamos que tú nos unges con aceite y robusteces nuestras fuerzas. Toma nuestras vidas y haznos instrumentos de tu amor, de tu justicia y de tu paz.

En silencio leo la oración: Tómame -Oración Nº8- y hago mía la frase que más me guste, compartiendo con los demás compañeros -preferiblemente en intervalos cortos de tiempo-

Para terminar rezamos juntos la oración. Cuando el catequista lo indique.

CANTO N°20: *Ilumíname, Señor, con tu Espíritu.*

6☆ MANOS A LA OBRA

Realizar durante el mes el siguiente ejercicio:

* Visito los grupos apostólicos de mi parroquia, investigo
lo siguiente:

1. Cómo se llama cada grupo
2. Qué día se reúnen
3. Cuál es el objetivo de cada grupo
4. Cuántos miembros activos tiene cada grupo
5. Dónde se reúnen
6. Qué actividades realizan
7. Qué le gustó de cada grupo

Nota:
Este trabajo debo presentarlo en hojas debidamente marcadas, una por
cada grupo visitado y posteriormente entregarlo al catequista.

* SER TESTIGO

Comparto el trabajo desarrollado en el taller con mi familia. Luego
reflexiono:

¿Cómo me sentí al hacer el ejercicio?
¿Qué actitud tomó mi familia?

¡Qué nota!

Preparar el signo ESPÍRITU SANTO, para el próximo encuentro:

_____   _____

Al encuentro debo llevar siempre la Biblia.

7★ PARA RECORDAR

> «NOSOTROS SOMOS PARA DIOS EL BUEN OLOR DE CRISTO»
> *Segunda Corintios 2,15*

UN NUEVO PENTECOSTES

17.

LLEGAREMOS A LA META

Hoy debo lograr:

> **Valorar la celebración de la Confirmación como fiesta de la comunidad cristiana.**
> **Descubrir la nueva personalidad que asumiré al confirmarme.**
> **Asumir las actitudes propias del cristiano maduro en su fe.**

CANTO Nº21: *Siempre es Pentecostés*

SIGNO: *El Espíritu Santo.*

OREMOS ✝

Joven: Ven Espíritu Santo, llena nuestros corazones y enciende en nosotros el fuego de tu amor. Envíanos, Señor, tu Espíritu de Santidad...

Todos: Y las cosas serán creadas y renovarás la faz de la tierra.

Catequista: Oh Dios que nos has manifestado tu amor por la efusión de tu Santo Espíritu en cada uno de nosotros,

Todos: concédenos amar cada día con mayor intensidad todo lo que proviene de ti para que busquemos ser santos como Tú eres santo. Por Jesucristo Nuestro Señor. Amén.

1 ✰ EN SINTONÍA

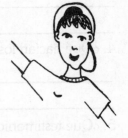

Realizo el siguiente ejercicio con dos compañeros más:

Analicen las afirmaciones que aparecen a continuación y respondan si están o no de acuerdo y por qué.

- Confirmarse es vivir nuevamente Pentecostés.
- Yo me confirmo para dar gusto a mis padres.
- Con la fuerza del Espíritu renovaremos el mundo.
- El mundo no necesita para nada el Espíritu Santo, solo se basta.
- En mi parroquia vivimos en un continuo Pentecostés.

Compartir en plenaria.

RESUMIENDO

- Pentecostés no es algo que pertenece al pasado, sino una fiesta continua en la Iglesia.
- El Espíritu Santo es quien hace posible actualizar Pentecostés.
- Cada bautizado es responsable del Pentecostés de su familia y comunidad.

2 ✰ ESCUCHEMOS A DIOS

Busco en la Sagrada Escritura **Hechos 4,31-37.** Leo atentamente y luego respondo:

1. ¿Qué sucedió después de la oración?

_____

_____

2. ¿De quién quedaron llenos? _____

_____

3. ¿Cómo vivían los creyentes? _____

_____

_____

4. ¿Qué hacían los apóstoles? _____

_____

_____

5. ¿Qué testimonio dio Bernabé? _____

_____

6. ¿Conoce alguna comunidad parecida a la del texto? ¿Qué hacen?

_____

_____

_____

_____

7. ¿Qué relación encuentro entre el texto y el ejercicio «En sintonía»?

_____

_____

_____

_____

_____

_____

3★ PARA PROFUNDIZAR

Siempre que se celebra el sacramento de la Confirmación en la Parroquia, ésta vive un Nuevo Pentecostés. El Espíritu del Señor que recibimos en la Confirmación nos hace trabajar por el crecimiento de la Iglesia, igual nos ayuda a entender con mayor claridad a Jesús, en quien creemos y a quien amamos.

La nueva personalidad del confirmado es la personalidad cristiana; el cristiano verdadero, se compromete a luchar por un mundo más justo y más humano, a luchar contra el mal en todas sus formas.

4★ ACTUEMOS

Después de esta reflexión, me pregunto:

1. ¿Me gustaría tener la experiencia de Pentecostés? ¿Para qué? _____

_____

_____

2. ¿Qué estoy dispuesto a dar para vivir esta experiencia?

_____

_____

_____

3. ¿Con quién me gustaría vivirla? ¿Cuándo? _____

_____

_____

_____

5☆ Celebremos nuestra fe

Signo: *Espíritu Santo*

Canto N°22: *Espíritu Santo, llénanos de ti.*

Escribo un verso o un poema al Espíritu Santo y lo comparto con mis compañeros.

_____

_____

_____

_____

_____

_____

_____

Para terminar rezamos el himno al Espíritu Santo. -Guía de evaluación N°11-. Cuando el catequista lo indique.

6☆ Manos a la obra

Realizaré durante la semana el siguiente ejercicio:

1. Continúo visitando los grupos apostólicos y realizo el trabajo correspondiente, según lo indicado en el encuentro anterior.
2. Aprenderé las obras de misericordia -Guía de evaluación N°10-

* Ser testigo

Continúo compartiendo con mi familia el trabajo sobre los grupos apostólicos.

¡Qué nota!

Preparar el signo Una estrella, para el próximo encuentro:

_____   _____

Al encuentro debo llevar siempre la Biblia.

7⭐ Para recordar

«TODOS QUEDARON LLENOS DEL ESPIRITU SANTO
Y SE PUSIERON A ANUNCIAR LA PALABRA DE DIOS»
Hechos de los Apóstoles 4,31

18.

MARIA, TESTIGO FIEL

Llegaremos a la meta

Hoy comprenderé:

> **Qué significa la Santísima Virgen en la vida de la Iglesia.**
> **Que la presencia de María es signo de fecundidad y entrega.**
> **Al confirmarme, como cristiano digo sí con María al amor de Dios.**

Canto Nº23: *María es esa mujer*

Signo: *Una estrella*

Oremos†

Joven: Ven Espíritu Santo, llena nuestros corazones y enciende en nosotros el fuego de tu amor. Envíanos, Señor, tu Espíritu de Fe...

Todos: Y las cosas serán creadas y renovarás la faz de la tierra.

Catequista: Oh Dios que has dádo a María una fe tan comprometida con las situaciones de su pueblo y un corazón lleno de amor hacia sus hijos,

Todos: concédenos también a nosotros una fe viva y dinámica como la de María nuestra Madre, para que seamos capaces de responder a los desafíos que nos presenta el mundo de hoy. Te lo pedimos por Jesucristo Nuestro Señor. Amén.

1✯ En sintonía

Escucho con atención **«Santa María de América Latina»** -Canto Nº24- y reflexiono:

1. ¿Qué me llamó más la atención de la canción?
2. ¿Cuál de esos nombres de María conozco? ¿Por qué?
3. ¿A cuál nombre de María le rezo? ¿Por qué?

Resumiendo

- Aunque María, la Virgen Madre de Dios, es una sola, las personas a través de la historia la llaman de muchas maneras, según sea su experiencia de encuentro con Ella.
- María, en su amor de madre, nos lleva a su Hijo Jesús, único camino para llegar al Padre.
- María, la llena del Espíritu Santo nos enseña a ser dóciles a su acción y a vivir con fidelidad el amor a Dios en el servicio a los hermanos más necesitados.

2✯ Escuchemos a Dios

Busco en la Sagrada Escritura **Lucas 1,26-38.** Leo atentamente y luego respondo:

1. ¿A quién envió Dios a Nazaret?

_____

_____

2. ¿A quién visitó el ángel y qué le dijo?

_____

_____

_____

3. ¿Cómo reaccionó María? _____

_____

_____

4. ¿Qué le explicó el ángel? _____

_____

_____

_____

5. ¿Qué respondió María? _____

_____

_____

6. ¿Qué opinión me merece la actitud de María? ¿Por qué?

_____

_____

7. ¿Qué relación encuentro entre el texto y el ejercicio «En sintonía»?

_____

_____

_____

_____

_____

_____

3 ✠ Para profundizar

María es una criatura humana, la más bella, la más perfecta, creada por Dios. Es una criatura bendecida y escogida por Dios para hacerla su propia Madre; así tenemos que ella es la Madre de Dios, porque es la Madre de Jesús y Jesús es Dios; y es también Madre nuestra porque nosotros somos hermanos de Jesús; por eso nos protege, nos aconseja y nos ayuda.

La historia de Colombia como la de otros países Latinoamericanos está inseparablemente unida a la figura de María, Madre de Dios, es así como muchas poblaciones llevan su nombre bajo alguna advocación. Son numerosos los santuarios dedicados a honrar a la Virgen María.

Para nosotros, que nos preparamos para recibir la fuerza del Espíritu Santo, María es Modelo, modelo de discípulo y modelo de cristiano. En Ella aprendemos a ser dóciles a la acción del Espíritu Santo, a hacer lo que Jesús nos dice, a ser felices porque la Palabra se hace vida. Igual ante el dolor, el que hemos de aceptar con la fortaleza de María al pie de la cruz.

4 ✠ Actuemos

Después de esta reflexión, me pregunto:

1. ¿Qué significa para mi vida, la Virgen María? ¿Por qué?

_____

_____

_____

_____

_____

2. ¿Qué virtud de la Virgen María me gustaría tener? ¿Por qué?

_____

_____

_____

3. ¿Cómo me gustaría expresar mi amor a la Virgen María?

_____

_____

_____

5 ✯ CELEBREMOS NUESTRA FE

SIGNO: *Una estrella*

Hago una letanía a la Virgen María para honrarla como Reina, Madre, Mujer, Esposa, Señora...

Escribo aquí mi letanía: _____

_____

_____

_____

Después de cada letanía, decimos todos: RUEGA POR NOSOTROS.

Madre de los jóvenes... R/.

Señora de los que se preparan a celebrar el sacramento de la Confirmación...R/.

Virgen rebosante del Espíritu Santo...R/.

-Se continúan las letanías-

Terminamos con la oración de la Salve -Guía de evaluación N°16-. Cuando el catequista lo indique.

Canto N°16: *Hoy he vuelto*

6✫ Manos a la obra

Realizaré durante la semana el siguiente ejercicio: No debo olvidar que este trabajo se presenta en hojas separadas para entregar al catequista.

1. ¿Cuál de los grupos apostólicos que visité me llamó más la atención? ¿Por qué?
2. ¿Me gustaría pertenecer a alguno de los grupos anteriores? ¿A cuál? ¿Por qué?
3. ¿Prefiero iniciar uno nuevo? ¿Con qué características?
4. Aprenderé la salve -Guía de evaluación N°16-.

* Ser testigo

Comparto el ejercicio anterior con mi familia y luego reflexiono:

¿Cómo me sentí al hacer el ejercicio?
¿Qué actitud tomó mi familia?

¡Qué nota!

Preparar el salón para el retiro, con todos los signos utilizados en la preparación.

—————————————— ——————————————

Al retiro debo llevar siempre la Biblia.

«HAGASE EN MI, COMO HA DICHO EL SEÑOR»

Lucas 1,38

UNGIDOS PARA MANIFESTAR EL REINO
-Retiro espiritual-

19.

LLEGAREMOS A LA META

Hoy experimentaré:

La necesidad de cuestionar seriamente mi identidad cristiana.
La presencia del Espíritu Santo que guía mi vida.
Estar preparado para celebrar el sacramento de la Confirmación.

CANTO N°4: *No tengamos miedo a nada*

I. ORACIÓN

Lectura Santa: **Apocalipsis 3,14-22**

Invocación al Espíritu Santo

Joven: Ven Espíritu Santo, llena nuestros corazones y enciende en nosotros el fuego de tu amor. Envíanos, Señor, tu Espíritu de Sabiduría...

Todos: Y las cosas serán creadas y renovarás la faz de la tierra.

Todos: Oración para pedir Sabiduría -Oración N°9-

Primer paso: ¿Qué dice el texto? -Personal-
- Proclamación: Apocalipsis 3,14-22
- ¿Quién escribe?
- ¿A quiénes escribe?
- ¿Qué reproches hace?
- ¿Qué mensaje transmite?
- ¿Qué signos utiliza?
- ¿Qué significado tienen esos signos?
- ¿Qué imágenes o figuras de Jesús aparecen?
- ¿Qué promesa hace?
- ¿Cuál es la frase más impactante?

Para responder las preguntas anteriores les recomendamos leer:
- La introducción de su Biblia al Apocalipsis, las notas explicativas al mensaje de la Iglesia de Laodicea y los textos paralelos: Prov 8,22; Sb 9,12; Col 1,15-18; Hb 12,4-11; Prov 3,12; Lc 22,29-30; Mt 19,28.

Escribo mi reflexión

Compartir: Reforzar, ubicándolos en el contexto apocalíptico

Segundo paso: ¿Qué me dice el texto? -Personal-
- Proclamación: Apocalipsis 3,14-22
- ¿Qué reproche me hace Jesús?
- ¿Qué mensaje me da al terminar esta etapa de mi preparación para celebrar la Confirmación?
- ¿Cuál es la figura de Jesús que más me impacta?
- ¿Qué promesa me hace Jesús, hoy?
- ¿Qué signos puedo utilizar para identificar mi vocación y misión como cristiano?

Escribo mi reflexión

Compartir

Tercer paso: ¿Qué me hace decir el texto? -Personal-
- Lectura personal: Apocalipsis 3,14-22
- Según lo reflexionado, entro en comunicación con Jesús. -En silencio-

- Ahora expreso mis sentimientos a través de una carta, en la misma forma del texto meditado: ¿Qué siento que el Señor me ha dicho, hoy?

Cuarto paso: ¿A qué me compromete esta Palabra?
- Proclamación: Apocalipsis 3,14-22
- Crear ambiente de oración
- Compartir el mensaje que cada uno redactó en forma de carta.
- Entre cada intervalo se puede cantar:

Canto Nº25: Entre tus manos
Canto Nº26: Dios está aquí -tan cierto...-

Se termina la Lectura Santa con el Padre Nuestro, signo de unidad, y la invocación a la Virgen María.

II. TEMA DE REFLEXIÓN PARA EL RETIRO

«La identidad cristiana»

Parábola del águila

Erase una vez un hombre que, mientras caminaba por el bosque, encontró un aguilucho. Se lo llevó a su casa y lo puso en su corral, donde pronto aprendió a comer la misma comida que los pollos y a comportarse como estos. Un día un naturalista que pasaba por allí, preguntó al propietario por qué razón un águila, el rey de todas las aves, tenía que permanecer encerrada en el corral con los pollos.
- Como le he dado la misma comida que a los pollos y le he enseñado a ser como un pollo, nunca aprendió a volar- respondió el propietario. Se comporta como pollo, por tanto, ya no es un águila. Sin embargo, insistió el naturalista, tiene corazón de águila y, con toda seguridad, se le puede enseñar a volar.

Después de discutir un buen rato, los dos hombres convinieron averiguar si era posible que el águila volara. El naturalista la cogió en brazos

127

suavemente y le dijo: «Tú perteneces al cielo, no a la tierra. Abre las alas y vuela». El águila, sin embargo, estaba confusa; no sabía a qué especie pertenecía y, al ver a los pollos comiendo, saltó y se reunió con ellos de nuevo.

Sin desanimarse, al día siguiente, el naturalista llevó al águila al tejado de la casa y le animó diciéndole: «Eres un águila. Abre las alas y vuela». Pero el águila tenía miedo de su yo, del mundo desconocido y saltó una vez más junto a los pollos.

El naturalista se levantó temprano el tercer día, sacó al águila del corral y la llevó a una montaña. Una vez allí, alzó al rey de las aves y le animó, diciendo: «Eres un águila y perteneces tanto al cielo como a la tierra. Ahora, abre las alas y vuela».

El águila miró alrededor, hacia el corral, y arriba, hacia el cielo. Pero siguió sin volar. Entonces, el naturalista la levantó directamente hacia el sol; el águila empezó a temblar, a abrir las alas y finalmente, con un grito triunfante, se voló alejándose en el cielo.

Es posible que el águila recuerde todavía a los pollos con nostalgia; hasta es posible que, de cuando en cuando, vuele a visitar el corral. Que nadie sepa, el águila nunca ha vuelto a vivir vida de pollo. Siempre fue un águila, pese a que fue domesticada como un pollo.

Esta parábola refleja muy bien la situación de cada uno de nosotros y del hombre de hoy, quien ha perdido su identidad y el sentido de la vida. ¿Soy águila o soy pollo? Mi conciencia me dice lo primero, mi forma de vida tal vez lo segundo. Como el aguilucho, el hombre ha perdido su identidad. A fuerza de vivir en el corral y de comer la comida de los pollos, ha traicionado su verdadera esencia y se ha rebajado. Ya no sabe lo que es. Ha perdido el sentido de su verdadera vocación.

-James Aggrey-

1. ¿Qué personajes aparecen?
2. ¿Qué características tiene cada uno?
3. ¿Alguna vez se ha sentido pollo? ¿Por qué?
4. ¿La etapa de preparación para celebrar el sacramento de la Confirmación le ha servido para ser pollo o para ser águila? ¿Cómo se da cuenta?
5. ¿Alguna vez ha hecho el papel de naturalista con alguien? ¿Con que resultados?
6. ¿Qué relación encuentra entre la parábola del águila y la Lectura Santa sobre el texto del Apocalipsis?
7. Según esta parábola ¿Cuáles son las actitudes que aparecen con mayor frecuencia en nuestras comunidades? ¿Por qué?
8. ¿Qué podemos hacer frente a esta realidad? Responda esta pregunta, redactando una oración de súplica, de perdón...

_____

_____

_____

_____

Terminamos con LA ORACIÓN COMUNITARIA, teniendo en cuenta la respuesta a la pregunta N°8. Después de cada oración nos unimos cantando:

>«Espíritu Santo ven (3)
>en el nombre del Señor»

Como signo de unidad, nos tomamos de la mano y rezamos el Padre Nuestro.

Preparación de la Celebración Eucarística, si hay sacerdote. De lo contrario, se prepara la celebración para la Confirmación, puede servir como orientación el tema N°20: Guía de Celebración para la Confirmación.

20. GUIA DE CELEBRACION PARA LA CONFIRMACION

CANTO DE ENTRADA

N°9: Iglesia somos.   N°27: A edificar la Iglesia.
N°19: Arriésgate.

Obispo: En el nombre del Padre, del Hijo y del Espíritu Santo. ✞

Todos: Amén.

Obispo: La gracia y la paz de Dios, nuestro Padre, y de Jesucristo, el Señor, esté con todos vosotros.

Todos: Bendito sea Dios, Padre de Nuestro Señor Jesucristo.

Monitor: Hoy nuestra comunidad parroquial celebra un Nuevo Pentecostés; éste es el motivo de nuestra alegría. Los jóvenes que se han preparado a lo largo de estos meses, hoy se disponen a completar su iniciación cristiana con la celebración del sacramento de la Confirmación.

ACTO PENITENCIAL

Obispo: Hermanos, para que todos participemos dignamente en esta fiesta de hermanos en la fe, reconozcamos nuestras faltas y pidamos perdón.

Yo confieso...

130

Obispo: Dios todopoderoso, tenga misericordia de nosotros, perdone nuestros pecados y nos lleve a la vida eterna.

Todos: Amén.

Señor, ten piedad: -Escoger uno conocido por la comunidad-

Obispo: Gloria a Dios en el cielo...

Oración Colecta: Oremos. Cumple en nosotros tu promesa, Señor, para que por la venida del Espíritu Santo, nos convirtamos ante el mundo en testigos del Evangelio de Jesucristo tu Hijo, que vive y reina en la unidad del Espíritu Santo, por los siglos de los siglos.

Todos: Amén.

LITURGIA DE LA PALABRA

Monitor: -Espera que todos se sienten- Las palabras del Señor son espíritu y vida. Hemos de estar en actitud de escucha y apertura para que al ser proclamadas realicen en nosotros lo que Dios quiere.

Ministro lector: -Sugerimos escoger una de éstas-

Primera lectura: Isaías 11,1-4a; 61,1-9; 42,1-3; Ez 36,24-28.

Ministro lector:
Salmos:
22: «El Señor es mi pastor nada me falta»
95: «Cantemos al Señor un cántico nuevo»
103: «Bendice alma mía al Señor»
144: «Bendigo tu nombre por siempre»

Ministro lector:

Segunda lectura: 1 Cor 12,4-13; Gal 5,16-17.22-23a.24-25; Hch 1,3-8; Hch 2,1-6.14.22b-23.32-33; 10,1.33-34a.37-44.

Diácono o Presbítero: Lc 4,16-22a; 8, 4-10a.11-15; 10,21-24; Mc 1,9-11; Jn 14,15-17; 14,23-26; 15,18-21.

PRESENTACIÓN DE LOS CONFIRMANDOS

Monitor: De pie los que van a ser confirmados.

Párroco: Señor Obispo: Estos bautizados que viven en nuestra parroquia **N...**, solicitan, por intermedio mío, ser admitidos al sacramento de la Confirmación.

Obispo: Padre **N...** ¿Sabe si todos han sido preparados convenientemente para recibir, con fe y decisión este sacramento?

Párroco: Me consta que todos han recibido una catequesis adecuada y se han preparado con la oración y la caridad, y están decididos a renovar sus compromisos bautismales para ser fieles testigos de Cristo.

Obispo: En el nombre del Señor los aceptamos para la recepción de este sacramento, que los confirma en la vida del Espíritu Santo que recibieron ya en el bautismo.

HOMILÍA DEL SEÑOR OBISPO

RENOVACIÓN DE LAS PROMESAS DEL BAUTISMO

Monitor: Ahora los que van a ser confirmados hacen la renovación de su Bautismo, todos con la mano derecha levantada. Nosotros nos disponemos a acompañarlos haciendo también la renovación de las promesas bautismales.

Obispo: ¿Renuncian al pecado en todas sus formas y manifestaciones?
R/. Sí, renuncio.

Obispo: ¿Renuncian a satanás y a todas sus obras, a usar el engaño, la mentira, la hipocresía y la falsedad?
R/. Sí, renuncio.

Obispo: ¿Renuncian a la pereza, al egoísmo, y a la falta de solidaridad con los más pobres?
R/. Sí, renuncio.

Obispo: ¿Renuncian al miedo y a la falta de compromiso en la Iglesia?
R/. Sí, renuncio.

Obispo: ¿Creen en Dios Padre todopoderoso, Creador de todo lo que existe?
R/. Sí, creo.

Obispo: ¿Creen en Jesucristo, Hijo de Dios, que nació de la Virgen María, murió, fue sepultado, resucitó y vive junto al Padre?
R/. Sí, creo.

Obispo: ¿Creen en el Espíritu Santo, Señor y dador de vida, que nos hace hijos de Dios y nos une para vivir como hermanos?
R/. Sí, creo.

Obispo: ¿Creen en la Santa Iglesia Católica, que es la familia de Dios, fundada por Jesucristo, en la cual lo seguimos como maestro y único camino de salvación?
R/. Sí, creo.

Obispo: Queridos jóvenes, ¿se comprometen a tomar en serio el Evangelio, a orar personalmente y en comunidad, a celebrar el día del Señor en la Eucaristía, a ser testigos de Jesús y a extender su Reino en el mundo?
R/. Sí me comprometo.

Obispo: Esta es nuestra fe, esta es la fe de la Iglesia, que nos gloriamos de profesar en Cristo Jesús Señor nuestro.

Todos: Amén.

Monitor: Hermanos ha llegado el momento decisivo para estos jóvenes. Todos nos ponemos en oración, pidiendo a Dios que envíe su Espíritu Santo.

El Señor Obispo y el sacerdote -o sacerdotes- presentes, extenderán sus manos sobre los que serán confirmados y orarán por ellos.

Obispo: Oremos. Dios Todopoderoso, Padre de nuestro Señor Jesucristo, que por el agua y el Espíritu Santo, has librado del pecado a estos hijos tuyos y les has dado nueva vida, envía ahora sobre ellos el Espíritu Santo Paráclito; concédeles espíritu de sabiduría y de entendimiento, espíritu de consejo y de fortaleza, espíritu de ciencia y de piedad, y cólmalos del espíritu de tu santo temor. Por Jesucristo Nuestro Señor.

Todos: Amén.

Unción Sacramental

Monitor: El Señor Obispo en este momento va a imponer las manos sobre cada uno de los jóvenes, y trazando sobre ellos la cruz con el óleo perfumado les concede el don del Espíritu Santo y los envía a dar testimonio del nombre cristiano. El saludo de paz entre el Obispo y el joven, significa que ahora la unión es más estrecha entre el confirmado y la Iglesia cuyo pastor es el Obispo.

Obispo: Por esta señal ✞, recibe el don del Espíritu Santo.

Confirmando: Amén.

Obispo: La paz sea contigo.

Confirmando: Y con tu espíritu.

Anotación:

> *Según las circunstancias del lugar, es bueno que el párroco esté recibiendo a cada confirmado, como signo de que ahora pertenece más estrechamente a la comunidad parroquial.*

Cantos para acompañar a los jóvenes:

N°28: Espíritu de Dios llena mi vida
N°22: Espíritu Santo, lléname de ti
N°20: Ilumíname, Señor, con tu Espíritu

Oración de los fieles:

-Es bueno dar espacio en la oración de los fieles a los padres, a los padrinos, a los catequistas y a los confirmandos-

Obispo: Queridos hermanos, oremos confiadamente a Dios, nuestro Padre; que nuestra oración sea una como una es la fe, la esperanza y la caridad que el Espíritu Santo ha infundido en nuestros corazones.

Monitor: A cada súplica nos unimos todos, diciendo:

Con la fuerza de tu Espíritu, Señor, transforma nuestra vida.

1. Para que la Iglesia extendida por todas las naciones goce de paz y conserve la integridad de la fe.

Todos: Con la fuerza de tu Espíritu, Señor, transforma nuestra vida.

2. Para que los gobernantes de las naciones busquen la paz y el bienestar de nuestros pueblos.

3. Para que todos los aquí reunidos mostremos con nuestra vida que somos templos del Espíritu Santo y manifestemos con obras el misterio que estamos celebrando.

4. Para que los padres y padrinos sean verdaderos testigos de la fe bautismal y de la gracia recibida en los sacramentos.

5. Que quienes han recibido el sacramento de la Confirmación, con la gracia del Espíritu Santo tiendan siempre a la perfección a la cual están llamados.

6. Para que el Espíritu Santo que han recibido estos jóvenes sea alegría y gozo en las dificultades.

7. Por los catequistas que nos han acompañado a lo largo de nuestra preparación, para que los conserves fieles a su ministerio.

8. Por esta comunidad parroquial, para que con una vida más cristiana, acoja a los que han sido confirmados y les ayude en la realización de su vocación.

Obispo: Dios, Padre nuestro, que enviaste el Espíritu Santo a los Apóstoles y estableciste que, por ellos y sus sucesores, se transmitiera a todos los fieles, escucha nuestras súplicas y concede a tus hijos participar de los dones que tu misericordia dispensara al iniciarse la predicación del Espíritu. Por Jesucristo Nuestro Señor.

Todos: Amén.

LITURGIA DE LA EUCARISTÍA

Monitor: -Monición al ofertorio- En los dones del pan y el vino colocamos cada una de nuestras vidas, para que sean ofrecidas a Dios Padre por medio de Jesucristo.

Cantos Nº29: Mi vida tiene sentido.

Santo

Cordero de Dios

Monitor: Comulgar es compartir la vida de Jesús; al hacerlo seamos conscientes de lo que implica esta responsabilidad en nuestra propia vida.

Cantos de comunión:

Nº20: Ilumíname, Señor, con tu Espíritu
Nº12: Yo soy testigo del poder de Dios
Nº30: En el corazón de la Iglesia
Nº23: María es esa mujer
Nº9: Iglesia somos

RITO DE CONCLUSIÓN

Obispo: Oremos. Padre de bondad, confirma lo que has obrado en nosotros y conserva en el corazón de tus hijos los dones del Espíritu Santo, para que no se avergüencen de dar testimonio de Cristo crucificado y, movidos por la caridad, cumplan sus mandamientos. Por Jesucristo Nuestro Señor.

Todos: Amén.

Obispo: La bendición de Dios todopoderoso, Padre, Hijo y Espíritu Santo ✝ descienda sobre vosotros y permanezca para siempre.

Todos: Amén.

Canto final Nº31: Testigos.

CANTOS

1. Este encuentro

/Este encuentro está maravilloso
porque el Señor ha derramado su poder/.
/Derrama Señor, derrama Señor,
derrama en nosotros tu poder/.
/Estarás tú velando
como las diez vírgenes/
/que a media noche llegó el esposo
y las que estaban apercibidas
fueron con él/.

Señor Jesús tú eres mi vida,
Señor Jesús tú eres mi amor.
/Tú salvaste mi alma perdida.
por eso te alabo con el corazón/.

/Quiero alabar tu nombre,
quiero cantar tu gloria
y proclamar tus maravillas,
por siempre mi Señor/.

2. Dádivas de amor

Santo (6) Dios poderoso

*Y hoy alzamos nuestras manos
como dádivas de amor
Santo, Santo, Santo, Santo.*

Santo Padre, Nuestro Padre
nos gozamos de ser tus hijos.

Santo Hijo, Jesucristo
te damos gracias nos redimiste.

Santo Espíritu, Santo Espíritu
ven y llénanos con tu presencia.

3. Tus palabras alientan mi vida

Tus palabras alientan mi vida,
tu presencia conforma mi fe.
Eres vida, verdad y camino,
eres fuerza que ayuda a vencer.(2)

4. No tengamos miedo a nada

No tengamos miedo a nada, adelante,
a vivir, a dar y a trabajar,
la verdad que defendemos es de todos
y queremos hacerla triunfar.

*Y si se quiere triunfar
nunca se debe olvidar
que lo primero es amar. (2)*

El Señor nos quiere fuertes y valientes
para dar la vida sin temor,

pues el mundo necesita que lo ayuden,
nosotros lo haremos con mucho amor.

5. Jesús Cristo

/Jesús Cristo, Jesús Cristo
Jesús Cristo, Yo estoy aquí/.

Miro hacia el cielo y veo
una nube blanca que va pasando,
miro a la tierra y veo
una multitud que está caminando;
como esa nube blanca
la gente no sabe a dónde va;
quien les podrá decir
el camino cierto eres, tú Señor.

Toda esa multitud
que en su pecho lleva amor y paz;
por eso para ellos sus esperanzas
no morirán.
Viendo la flor que nace
en el alma de aquel
que tiene amor,
miro hacia el cielo y veo
que ya se acercan a ti Señor.

6. ¿A quién, Señor, iremos?

Al ver Jesús la gente que marchaba
pues era duro su mensaje oír,
en sus amigos puso la mirada
diciéndoles: ¿también os queréis ir?

¿A quién, Señor, iremos a por vida?
¿A quién, Señor, iremos a por luz?
Tan sólo Tú, Palabras das de vida
Tan sólo Tú, Palabras das de luz.

Al ver Jesús al joven dar la espalda,
pues sus riquezas no quiso dejar
cambió el semblante y dijo:
¡Qué difícil! es a los ricos
en mi reino entrar.

Al ver Jesús las gentes descarriadas
en su vagar de ovejas sin pastor,
«Mi yugo es suave, y mi carga liviana
venid a Mí», les dijo con amor.

7. Madre de nuestra alegría

María, Tú que velas junto a mí,
y ves el fuego de mi inquietud,
María, Madre, enséñame a vivir
con ritmo alegre de juventud. (Bis)

Ven, Señora, a nuestra soledad,
ven a nuestro corazón,
a tantas esperanzas que se han muerto,
a nuestro caminar sin ilusión.
Ven y danos la alegría
que nace de la fe y del amor.
El gozo de las almas que confían
en medio del esfuerzo y del dolor.

Ven y danos tu esperanza
para sonreír en la aflicción;
las manos que del suelo nos levanta,
la gracia de la paz y del perdón.

Ven y danos confianza,
sonrisa que en tu pena floreció,
sabiendo que en la duda y las tormentas
jamás nos abandona nuestro Dios.

8. SIGUE AQUÍ

Quién va junto a los pobres, en su travesía,
dímelo.
Quién hace juntarse y defender la vida,
dímelo.
Tanta gente buena, vence la miseria sin
caer en la violencia,
eso me recuerda a los Hechos dos
cuarenta y dos.

Quién inspiró a Romero aquellas homilías,
dímelo,
a la madre Teresa, dime quién la anima,
dímelo,
eso no es coincidencia, es más bien prueba
que el Espíritu de Dios sigue aquí.

Aleluya, (3) el Espíritu de Dios sigue aquí
(Bis).
Aleluya (2) que se entere el mundo
que el Espíritu de Dios sigue aquí. (Bis)

Quién le da a nuestros chicos tantas
energías, dímelo,
de dónde sale tanto loco catequista,
dímelo,
tanta gente buena dando tiempo extra
sin que pidan recompensa, eso se asemeja
a Hechos cuatro treinta y dos.
Quién puso igual mensaje a tantas

melodías, dímelo,
si incluso los autores ni se conocían,
dímelo,
tanta gente buena, finas notas bellas
animando a nuestra Iglesia,
que Arjona sepa que el Espíritu de Dios
sigue aquí.

Aleluya...

Y a pesar de las pugnas de los signos de
contradicción,
de los muchos errores por los que hemos
pedido perdón,
no me quedan más dudas, Tú sigues con
nosotros, Señor, porque sólo así se
explica tanta gente linda, tanta lucha, tanto
amor.

Quién envía a Juan Pablo a todas sus
visitas, dímelo,
quién está hoy hablando a través de María,
dímelo,
tanta gente buena, haciendo cosas bellas,
no eso no es coincidencia,
son más bien pruebas que
el Espíritu de Dios sigue aquí.

9. IGLESIA SOMOS

Iglesia soy y tú también
en el bautismo renacimos
a una vida singular,
y al confirmar hoy nuestra fe
lo proclamamos compartiendo el mismo
pan.

No vayas triste en soledad,
ven con nosotros y verás
a los hermanos caminando en el amor,
ven con nosotros y serás
en la familia un hijo más,
iremos juntos caminando en el amor.

Yo la veré envejecer,
pero a mi madre aún con arrugas
y defectos la querré, la quiero más
pues sé muy bien que ha envejecido
sin dejarme de querer.

La Iglesia es tan maternal
que me ha engendrado,
me alimenta y me acompaña sin cesar;
La Iglesia es tan maternal,
que nunca duda en abrazarme y
perdonar.

Tensiones hay y las habrá,
porque nosotros somos hombres
y no ángeles de luz,
pero al final, sólo al final
la Iglesia humilde
encontrará su plenitud.

10. YO TENGO GOZO EN MI ALMA

Yo tengo gozo en mi alma,
gozo en mi alma, gozo en mi alma,
y en mi ser, aleluya, gloria a Dios.
Son como ríos de agua viva
ríos de agua viva, ríos de agua viva
en mi Ser.

/Vamos cantando con todo su poder/
dad gloria a Dios, dad gloria a Dios,
dad gloria a El,
vamos cantando con todo su poder.

/No te avergüences y alaba a tu Señor/
dad gloria a Dios, dad gloria a Dios,
dad gloria a El,
no te avergüences y alaba a tu Señor.

/Alza tus brazos y alaba a tu Señor/
dad gloria a Dios, dad gloria a Dios,
dad gloria a El,
alza tus brazos y alaba a tu Señor.

11. MI DIOS ESTÁ VIVO

Mi Dios está vivo, el no está muerto,
mi Dios está vivo en mi corazón.
Mi Dios está vivo, ha resucitado
lo siento en mis manos,
lo siento en mis pies,
lo siento en mi alma,
y en todo mi ser.

Oh, oh, oh, oh, hay que nacer del agua
oh, oh, oh, oh, hay que nacer
del Espíritu de Dios
/Oh, oh, oh, oh, hay que nacer del agua
y del Espíritu de Dios,
hay que nacer del Señor/.

Prepárate para que sientas (3)
el Espíritu de Dios.
Déjalo que se mueva (3)
dentro de tu corazón.

Mi Dios está vivo, él no está muerto
mi Dios está vivo en mi corazón.
Lo veo a mi lado, nunca me abandona
lo veo en el aire, lo veo junto al mar
lo veo en el monte caminar.
Oh,oh...

12. Yo soy testigo del poder de Dios

Yo soy testigo del poder de Dios
por el milagro que El ha hecho en mí;
yo era ciego pero ahora veo la luz,
la luz gloriosa que me dio Jesús.

No, no, no, nunca, nunca me ha dejado
nunca, nunca me ha desamparado,
ni en la noche oscura,
ni en el día de prueba,
Jesucristo nunca me desamparará.(2)

Canto con gozo en mi corazón,
canto con gozo a mi Salvador,
canto a mi Cristo pues El me salvó,
Cristo me ayuda en la tentación.(2)

13. La alegría en el perdón

La alegría más hermosa,
la alegría en el perdón,
que en el cielo hay mucha fiesta
cuando vuelve un pecador.

Si la oveja se ha perdido
a buscarla va el pastor;
que en el cielo hay mucha fiesta
cuando vuelve un pecador.

Cuando el hijo se fue lejos
triste el padre se quedó,
y qué inmensa su alegría,
cuando el hijo regresó.
Cada día, cada instante
por su ausencia se apenó
y qué inmensa su alegría,
cuando el hijo regresó.

La mujer buscaba triste
las monedas que perdió,
y saltaba de alegría
cuando al fin las encontró.
Qué afanosa rebuscaba,
toda su casa barrió
y saltaba de alegría
cuando al fin las encontró.

Una tarde hubo fiesta,
fiesta grande en Jericó.
Tú Jesús, estás contento
pues Zaqueo te encontró.
Qué alegría más hermosa
la que allá se celebró.
Tú Jesús estás contento
pues, Zaqueo te encontró.

14. La paz esté con nosotros

La paz esté con nosotros (3)
que con nosotros, siempre, siempre
esté la paz.

Pedimos paz para el mudo,
cantamos paz para el mundo,
que nuestra vida sea gloriosa,

143

yo te saludo: la paz, la paz
sea contigo.

15. Shalom para ti

/Shalom para ti, Shalom para mí,
Shalom, Shalom,
Dios te dé el amor,
Dios te dé la paz.
Shalom, Shalom/.

16. Hoy he vuelto

Cuántas veces siendo niño te recé,
con mis besos te decía que te amaba,
poco a poco con el tiempo alejándome
de Ti
por caminos que se alejan te perdí. (2)

Hoy he vuelto madre a recordar
cuántas cosas hice ante tu altar,
y al rezarte puedo comprender
que una madre no se cansa de esperar.(2)

Al regreso me encendías una luz
sonriendo desde lejos me esperabas,
en la mesa la comida aún caliente y el
mantel
y tu abrazo en mi alegría de volver. (2)

Aunque el hijo se alejara del hogar
una madre siempre espera su regreso,
el regalo más hermoso que a los hijos da
el Señor
es su madre y el milagro de su amor. (2)

17. La fuerza escondida

Si miro al cielo o miro al mar
si observo en mi interior
si atento estoy, si se escuchar
podré sentir tu voz. (2)

¿Dónde está la razón, dónde está,
esa fuerza misteriosa que nos da
su calor? La respuesta es el amor.

Si veo a un hombre en su dolor
sabiendo sonreír,
sufriendo en él te veo a Ti
y quiero ser mejor. (2)

Si veo la mirada azul
de un alma sin maldad,
yo sé que Tú en ella estás
me miras Tú Jesús. (2)

Aquel te ofrece su cantar
y éste su dolor,
el joven su ilusión de amar
y el niño su candor. (2)

18. El profeta

Tengo que gritar,
tengo que arriesgar.
¡Ay de mí si no lo hago!
¿Cómo escapar de ti,
cómo no hablar
si tu voz me quema dentro?
Tengo que andar,
tengo que luchar.

¡Ay de mí si no lo hago!
¿Cómo escapar de ti,
cómo no hablar
si tu voz me quema dentro?

Antes que te formaras
dentro del vientre de tu madre,
antes que tú nacieras
te conocía y te consagré.
Para ser profeta de las naciones
yo te escogí, irás donde te envíe
y lo que te mande proclamarás.

No temas arriesgarte
porque contigo Yo estaré,
no temas anunciarme
porque en tu boca yo hablaré.
Te encargo hoy mi pueblo
para arrancar y derribar,
para edificar, destruirás y plantarás.

Deja a tus hermanos
deja a tu padre y a tu madre,
abandona tu casa
porque la tierra gritando está.
Nada traigas contigo,
porque a tu lado Yo estaré,
es hora de luchar, porque mi pueblo
sufriendo está.

19. ARRIÉSGATE

Todos unidos en la vida,
vamos buscando un horizonte.
Arriésgate, arriésgate,
arriésgate, hay algo más.

Arriésgate, arriésgate,
arriésgate sin vacilar.

Ningún camino es largo
para el que cree,
ningún esfuerzo es grande
para el que ama,
ninguna cruz vacía
para el que lucha.

Cambiemos las promesas
en realidades,
luchemos como hermanos
por la justicia,
sembremos hoy la aurora
de un nuevo día.

El pan que trabajamos
con nuestras manos,
el cáliz que llevamos
con alegría,
traerán la primavera
a nuestras vidas.

20. ILUMÍNAME, SEÑOR CON TU ESPÍRITU

Ilumíname, Señor con tu Espíritu;
transfórmame, Señor con tu Espíritu;
ilumíname Señor, con tu Espíritu;
ilumíname y transfórmame, Señor.

/Y déjame sentir
el fuego de tu amor
aquí en mi corazón, Señor/.

Resucítame, Señor, con tu Espíritu;
conviérteme, Señor, con tu Espíritu;
resucítame, Señor, con tu Espíritu
resucítame y conviérteme, Señor.

Fortaléceme, Señor con tu Espíritu;
consuélame, Señor con tu Espíritu;
fortaléceme, Señor con tu Espíritu;
fortaléceme y consuélame, Señor.

21. Siempre es Pentecostés

Cuando rezamos, cuando cantamos,
cuando la fiesta es un celebrar gozoso,
el día es grande; Pentecostés
cuando llevamos en nuestras manos
un resplandor de luz;
en nuestro pecho vive y palpita,
el que murió en la cruz. (2)

Cuando el Señor alienta en nosotros
siempre es Pentecostés,
cuando él nos lanza a la vida
siempre es Pentecostés.

Cuando queremos comprometernos
en una misma fe, una tarea, un compromiso,
siempre es Pentecostés.
Cuando decimos sí a la Iglesia
con plena lucidez, soplan de nuevo,
vientos del cielo porque es Pentecostés.
(2)

Cuando los hijos ya van creciendo
y dicen qué quieren ser,

miembros de Cristo y de su Iglesia
siempre es Pentecostés.
No nos separan, lenguas ni razas,
nuestra consigna es:
Ser en el mundo un testimonio
porque es Pentecostés.

22. Espíritu Santo, llénanos de ti

/Espíritu Santo, llénanos de ti/.
/Oh Señor, llénanos de ti/.

/Somos un solo pueblo
y uno es el Señor/.
/Oh Señor, llénanos de ti/.

/Pasa por aquí, Señor,
pasa por aquí/.
/Oh Señor, pasa por aquí/.

/Espíritu Santo, pasa por aquí/.
/Oh Señor, pasa por aquí/.

23. María es esa mujer

¿Quién será la mujer,
que a tantos inspiró
poemas bellos de amor?
Le rinden honor la música y la luz,
el mármol, la palabra y el color.
¿Quién será la mujer,
que el rey y el labrador
invocan en su dolor,
el sabio, el ignorante,
el pobre y el señor,
el santo al igual que el pecador?

María es esa mujer,
que desde siempre el Señor
se preparó, para nacer como una flor,
en el jardín que a Dios enamoró.

¿Quién será la mujer, radiante como
el sol,
vestida de resplandor?
La luna a sus pies, el cielo en derredor,
y ángeles cantándole su amor.
¿Quién será la mujer, humilde que vivió
en un pequeño taller?
Amando sin milagros, viviendo de su fe,
la esposa siempre alegre de José.

24. Santa María de América Latina

Madre nuestra eres María
de todo este Continente,
pues tú has estado presente
en toda nuestra historia,
y nos sigues conduciendo
a la verdadera gloria.
Nuestra Evangelización
sintió tu mano amante
pues tú seguiste constante
aquella grande misión,
por eso te apareciste
en el santo Tepeyac.

Y ahora tus hijos te imploran
Latinoamérica toda
Madre de todos los hombres
a ti acuden sin distingos:
el blanco, el negro y el indio
hijos tuyos quieren ser.

María de Guadalupe
te llaman los mejicanos
y son tus fieles cubanos
aun cuando se lo silencian
hijos todos muy devotos
de la *Morena del cobre.*

Virgen de Copacabana
te invoca el hombre del Ande
y en todo el sur del Perú
te quieren *Virgen de Chapi*
y los chilenos piadosos
en tu santuario en Maipú.

Y es hacia *Aparecida*
donde van los brasileños
para pedirte postrados
que escuches sus sufrimientos
y en Argentina en *Luján*
te imploran los argentinos.

Señora de Coromoto
te aman los venezolanos
y van los ecuatorianos
a tu santuario del *Quinche*
bella estrella de Colombia
Virgen de Chiquinquirá.

En el Paraguay tú reinas
Señora de Caacupe
alma de los uruguayos,
Virgen de los 33
sol de los dominicanos
eres *Virgen de las Mercedes.*

Oh señora del Rosario
lucero de Guatemala

y en Cartago de Costa Rica
acoge a los peregrinos
Virgencita de Suyapa,
honduras te da su amor.

En el Salvador te invocan,
Oh señora de la Paz
y aunque la opresión se sienta,
los fieles nicaragüenses
en *Chinadenga* te piden
que la fe no sea vencida.

María Virgen y Madre
cuida a éste tu Continente,
haz que tengamos justicia
y que ya no haya miseria
en nuestra tierra fecunda
haya reconciliación.

Y ante todo María
enséñanos el amor,
haznos fieles a Dios Padre,
fraternos a los hermanos
conviértenos a tu Hijo
que seamos como Jesús.

25. Entre tus manos

Entre tus manos está mi vida Señor,
entre tus manos pongo mi existir.

/Hay que morir para vivir
entre tus manos, confío mi ser/.

Si el grano muere, si no muere
solo quedará, pero si muere

en abundancia dará
un fruto eterno que no morirá.

26. Dios está aquí (tan cierto...)

Dios esta aquí
tan cierto como el aire que respiro,
tan cierto como la mañana se levanta,
tan cierto que cuando le hablo
El me puede oír.

Dios esta aquí,
y El se goza
en la alabanza de su pueblo,
pues sé que nos está hablando
y trasformando hoy,
nos manda su mensaje de amor.

Dios esta aquí,
se siente fuerte su presencia
entre nosotros
más fuerte y más brillante
que la luz del sol,
por medio de su Espíritu
de amor.

27. A edificar la Iglesia

A edificar la Iglesia (3)
del Señor,
hermano ven ayúdame
hermana ven ayúdame
a edificar la Iglesia del Señor.

Yo soy la Iglesia,
tú eres la Iglesia
somos la Iglesia del Señor
hermano, ven ayúdame...

Los pobres son la Iglesia
los ricos son la Iglesia
somos la Iglesia del Señor...

Los blancos... Los negros...
Los padres... Los hijos...
Los niños... Los viejos...

28. Espíritu de Dios, llena mi vida

Espíritu de Dios, llena mi vida,
llena mi alma, llena mi ser. (2)

Lléname, lléname con tu presencia,
lléname, lléname con tu poder.
Lléname, lléname con tu bondad.(2)

29. Mi vida tiene sentido

Mi vida tiene sentido, cada vez que
vengo aquí
y te hago mi pedido de no olvidarme
de ti.
Mi amor es como este pan que era trigo
que alguien plantó, y recogió
y después se hizo salvación y dio
más vida
y alimentó al pueblo fiel.

Yo te ofrezco este pan,
yo te ofrezco mi amor. (2)

Mi vida tiene sentido, cada vez que
vengo aquí
y te hago mi pedido de no olvidarme
de ti.
Mi amor es como este vino que era fruto
que alguien plantó, y recogió
y después llenose de cariño y dio más vida
y sació al pueblo fiel.

30. En el corazón de la Iglesia

/En la Iglesia vivo yo,
en la Iglesia vives tú/.
/En la Iglesia, en la Iglesia
vivimos los dos/.

En el corazón de la Iglesia
el Espíritu de Dios
vamos todos a formarla,
caminando con Jesús.

En la Iglesia amo yo...
En la Iglesia canto yo...
En la Iglesia sirvo yo...
En la Iglesia creo yo...
En la Iglesia oro yo...

31. Testigos

/Nos envías por el mundo
a anunciar la Buena Nueva/.
/Mil antorchas encendidas
y una nueva primavera/.

/Si la sal se vuelve sosa,
¿quién podrá salar el mundo?/
/Nuestra vida es levadura,
nuestro amor será fecundo/.

/Siendo siempre tus testigos
cumpliremos el destino/,
/sembraremos de esperanza
y alegría los caminos/.

/Cuanto soy y cuanto tengo,
la ilusión y sufrimiento/,
/yo te ofrezco mil semillas
y Tú pones el fermento/.

32. Id y enseñad

Sois la semilla que ha de crecer
sois estrella que ha de brillar,
sois levadura, sois grano de sal
antorcha que ha de alumbrar.
Sois la mañana que vuelve a nacer,
sois espiga que empieza a granar,
sois aguijón y caricia a la vez,
testigos que voy a enviar.

Id amigos por el mundo,
anunciando el amor,
mensajeros de la vida,
de la paz y el perdón.
Sed amigos los testigos
de mi resurrección,
id llevando mi presencia
con vosotros estoy.

Sois una llama que ha de encender,
resplandores de fe y caridad,
sois los pastores que han de guiar
al mundo por sendas de paz.
Sois los amigos que quise escoger
sois palabra que intento gritar,
sois reino nuevo que empieza a engendrar
justicia, amor y verdad.

Sois fuego y savia que vine a traer,
sois la ola que agita la mar,
la levadura pequeña de ayer
fermenta la masa del pan.
Una ciudad no se puede esconder
ni los montes se han de ocultar,
en vuestras obras que buscan el bien
los hombres al padre verán.

33. Este gozo no va a pasar

Este gozo no va a pasar (3)
porque está dentro de mi corazón.

El fuego cae, cae,
los males salen, salen
y el creyente alaba al Señor (Bis)

Esta obra no va a pasar (3)
Esta alegría no va a salir.(3)
Y Jesucristo me va a Salvar (3)
Y Jesucristo ya me salvó.(3)

34. Espíritu Santo, ven

Espíritu Santo ven, ven (3)
en el nombre del señor.

Acompáñame, ilumíname,
toma mi vida,
acompáñame, ilumíname
Espíritu Santo, ven.

Santifícame y transfórmame
Tú cada día,
santifícame y transfórmame,
Espíritu Santo, ven.

Quebrántame y sáname,
Tú cada día,
quebrántame y sáname
Espíritu Santo ven.

ORACIONES

1. SALMO 23

El Señor es mi pastor, nada me falta,
en verdes pastos me hace reposar
y a donde brota agua fresca me conduce.

Fortalece mi alma,
por el camino del bueno me dirige
por amor de su Nombre.
Aunque pase por quebradas muy oscuras
no temo ningún mal,
porque Tú estás conmigo
tu bastón y tu vara me protegen.

Me acompaña tu bondad y tu favor
mientras dura mi vida,
mi mansión será la casa del Señor
por largo, largo tiempo.

2. SALMO 119

Señor, cuánto amo tu ley
pienso en ella el día entero.
Tu ley que siempre me acompaña,
que me ha hecho más prudente que
mis enemigos.

Soy más sabio que todos mis maestros,
porque medito tu enseñanza.
Por cumplir tus ordenes aventajo en

inteligencia a los ancianos.
Aparto mis pies del mal paso,
para guardar fielmente tus Palabras.

Jamás me desvío de tus sentencias
porque Tú me has enseñado.
Qué dulce es tu Palabra al paladar,
más dulce que la miel para mi boca.
Tus mandatos aumentan mi comprensión,
por eso aborrezco los caminos de la
perdición.

Tu Palabra es antorcha para mis pasos
y luz en mi camino.

3. NECESITAMOS DE TI

Necesitamos de Ti, de Ti solamente, y
de nadie más. Solamente Tú,
que nos amas,
puedes sentir por todos nosotros
que sufrimos
la compasión que cada uno
siente en relación
consigo mismo. Sólo Tú puedes
medir qué grande,
qué profunda es la necesidad que
hay de Ti
en el mundo, en esta hora.

Todos necesitamos de Ti,
también aquellos que
no lo saben, y estos te necesitan más.

El hambriento piensa que debe
buscar pan y,
mientras tanto, tiene hambre de Ti.
Èl sediento juzga necesitar agua,
mientras siente sed de Ti.
El enfermo se ilusiona en desear la salud;
su verdadero mal, sin embargo,
es la ausencia de Ti.

Quien busca la belleza del mundo,
sin darse cuenta, te busca a Ti,
que eres la belleza plena.
El que en sus pensamientos
busca la verdad,
sin darse cuenta te desea a Ti,
que eres la única
verdad digna de ser conocida.

El que se esfuerza por conseguir la paz,
está buscándote a Ti,
Unica Paz donde pueden
descansar los corazones inquietos.

Ellos te llaman sin saber que te llaman,
y su grito es, misteriosamente,
más doloroso que el nuestro.
Te necesitamos. Ven Señor.

Ignacio Larrañaga

4. EN TUS MANOS ME ABANDONO

Padre,
en tus manos me pongo.
Haz de mí lo que quieras.
Por todo lo que hagas de mí
te doy gracias.

Estoy dispuesto a todo, lo acepto todo,
con tal de que tu voluntad se haga en mí
y en todas tus criaturas.
No deseo nada más, Dios mío.

Pongo mi alma entre tus manos,
te la doy, Dios mío,
con todo el ardor de mi corazón
porque te amo,
y es para mí una necesidad de amor
el darme, el entregarme
entre tus manos sin medida,
con infinita confianza, porque tú eres
mi Padre. Amén.

Ignacio Larrañaga

5. SALMO 50

Misericordia, Dios mío, por tu bondad,
por tu inmensa compasión borra mi culpa,
lava del todo mi delito, limpia mi pecado.

Pues yo reconozco mi culpa,
tengo siempre presente mi pecado,
contra ti, contra ti sólo pequé,
cometí la maldad que aborreces.

En la sentencia tendrás razón,
en el juicio brillará tu rectitud,
mira que en la culpa nací,
pecador me concibió mi madre.

Te gusta un corazón sincero
y en mi interior me inculcas sabiduría,
rocíame con el hisopo: quedaré limpio,
lávame: quedaré más blanco que la
nieve.

Hazme oír el gozo y la alegría,
que se alegren los huesos quebrantados,
aparta de mi pecado tu vista,
borra en mi toda culpa.

¡Oh Dios!, crea en mí un corazón puro,
renuévame por dentro con espíritu firme,
no me arrojes lejos de tu rostro,
no me quites tu Santo Espíritu.

Devuélveme la alegría de tu salvación,
afiánzame con espíritu generoso,
enseñaré a los malvados tus caminos,
los pecadores volverán a ti.

Líbrame de la sangre, ¡oh Dios, Dios
salvador mío!,
y cantará mi lengua tu justicia,
Señor, me abrirás los labios
y mi boca proclamará tu alabanza.

Los sacrificios no te satisfacen,
si te ofreciera un holocausto
no lo querrías.
Mi sacrificio es un espíritu quebrantado,
un corazón quebrantado y humillado,
tú no lo desprecias.

Señor, por tu bondad favorece a Sión
reconstruye las murallas de Jerusalén,
entonces aceptarás los sacrificios rituales,
ofrendas y holocaustos,
sobre tu altar se inmolarán novillos.

6. Salmo 138

Señor, tú me sondeas y me conoces;
me conoces cuando me siento
o me levanto,
de lejos penetras mis pensamientos;
distingues mi camino y mi descanso,
todas mis sendas te son familiares.

No ha llegado la palabra a mi lengua,
y ya, Señor, te la sabes toda.
Me envuelves por doquier,
me cubres con tu mano.
Tanto saber me sobrepasa,
es sublime, y no lo abarco.

¿A dónde iré lejos de tu aliento,
a dónde escaparé de tu mirada?
Si escalo el cielo, allí estás tú;
si me acuesto en el abismo,
allí te encuentro;

si vuelo hasta el margen de la aurora,
si emigro hasta el confín del mar,
allí me alcanzará tu izquierda,
tu diestra llegará hasta mí.

Si digo: «que al menos la tiniebla
me encubra,
que la luz se haga noche en torno a mí»,

155

ni la tiniebla es oscura para ti,
la noche es clara como el día.

Tú has creado mis entrañas,
me has tejido en el seno materno.
Te doy gracias,
porque me has
formado portentosamente,
porque son admirables tus obras;
conocías hasta el fondo de mi alma,
no desconocías mis huesos.

Cuando en lo oculto me iba formando,
y entretejiendo en lo profundo
de la tierra,
tus ojos veían mis acciones,
se escribían todas en tu libro,
calculados estaban mis días
antes que llegase el primero.

¡Qué incomparables encuentro
tus designios,
Dios mío, qué inmenso es su conjunto!
Si me pongo a contarlos son más
que arena,
si los doy por terminados aun me
quedas tú.

Señor, sondéame y conoce mi corazón,
ponme a prueba y conoce
mis sentimientos,
mira si mi camino se desvía,
guíame por el camino eterno.

7. ORACIÓN POR LAS VOCACIONES

Señor Jesús, Pastor Bueno, Tú que llamas
a todos los jóvenes del mundo para que
amen y llenen todos los ambientes de tu
amor y de tu felicidad, abre sus mentes
para que oigan generosos tu invitación:
Ven y sígueme.

Ensancha sus corazones para que sean
sensibles a las angustias y esperanzas de
los pobres y necesitados.

Concédeles que te descubran como el
valor supremo de su vida y que te sigan
como Unico Maestro.

Señor Jesús, mira con bondad a las fa-
milias cristianas de nuestra Diócesis, que
todas sean como el hogar de Nazaret,
comunidades de fe y de amor. Concédeles
sembrar en sus hijos la alegría de seguirte,
para estar donde tú los necesitas.

En unión con María, te lo pedimos a Ti,
que vives y reinas por los siglos de los
siglos. Amén.

8. TÓMAME

Mi Dios, atráeme hacia Ti,
tómame todo en Ti,
transforma en Ti todo mi ser,
vísteme de tu luz.

Eres mi sol y mi calor,
esplendor, fiesta y paz.
Te busco y llamo sin cesar
por la fe en la oscuridad.

Señor, yo me abandono a Ti,
sólo en Ti, todo a Ti,
cual niño puro quiero ser
y vivir siempre así.

Ignacio Larrañaga

9. Oración para pedir Sabiduría

Dios de los padres y Señor
de la misericordia,
que con tu palabra hiciste todas
las cosas,
y en tu sabiduría formaste al hombre
para que dominara sobre tus criaturas,
y para que rigiese el mundo con santidad
y justicia
y lo gobernase con rectitud de corazón.

Dame la sabiduría asistente de tu trono
y no me excluyas del número de tus
siervos,
porque siervo tuyo soy, hijo de tu sierva,
hombre débil y de pocos años,
demasiado pequeño para conocer
el juicio y las leyes.

Pues aunque uno sea perfecto
entre los hijos de los hombres,
sin la sabiduría, que procede de ti,
será estimado en nada.

Contigo está la sabiduría conocedora
de tus obras,
la que te asistió cuando hacías el mundo,
y la que sabe lo que es grato a tus ojos
y lo que es recto según tus preceptos.

Mándala de tus santos cielos
y de tu trono de gloria, envíala
para que me asista en mis trabajos
y venga yo a saber lo que te es grato.

Porque ella conoce y entiende todas
las cosas,
y me guiará prudentemente en mis obras,
y me guardará en su esplendor.

GUIA DE EVALUACION

1. EL PADRE NUESTRO

Padre Nuestro que estás en los cielos,
Santificado sea tu Nombre,
venga a nosotros tu Reino,
hágase tu voluntad,
así en la tierra como en el cielo.

Danos hoy nuestro pan de cada día,
perdona nuestras ofensas,
como también nosotros perdonamos
a los que nos ofenden,
no nos dejes caer en tentación,
y líbranos del mal. Amén.

2. EL CREDO APOSTÓLICO

Creo en Dios Padre Todopoderoso,
Creador del cielo y de la tierra.

Creo en Jesucristo, su único Hijo
nuestro Señor, que fue concebido
por obra y gracia del Espíritu Santo.
Nació de Santa María Virgen,
padeció bajo el poder de Poncio Pilato,
fue crucificado, muerto y sepultado,
descendió a los infiernos,
al tercer día resucitó de entre los muertos,
subió al cielo y está sentado
a la derecha de Dios Padre,

desde allí ha de venir a juzgar
a los vivos y a los muertos.

Creo en el Espíritu Santo, la Santa Iglesia Católica,
la comunión de los santos, el perdón de los pecados,
la resurrección de los muertos, y la vida eterna.
Amén.

3. EL GLORIA

Gloria a Dios en el cielo,
y en la tierra paz a los hombres
que ama el Señor.
Por tu inmensa gloria te alabamos,
te bendecimos, te adoramos,
te glorificamos, te damos gracias.

Señor Dios, Rey Celestial,
Dios Padre Todopoderoso,
Señor Dios, Hijo Unico Jesucristo
Señor Dios, Cordero de Dios,
Hijo del Padre.

Tú que quitas el pecado del mundo
ten piedad de nosotros,
Tú que quitas el pecado del mundo,
atiende nuestra súplica;
Tú que estás sentado a la derecha del Padre,
ten piedad de nosotros.

Porque sólo Tú eres santo,
sólo Tú Señor, sólo Tú altísimo, Jesucristo,
con el Espíritu Santo,
en la Gloria de Dios Padre. Amén.

4. LOS SACRAMENTOS SON SIETE:

1. Bautismo
2. Reconciliación
3. Eucaristía
4. Confirmación
5. Matrimonio
6. Orden
7. Unción de los enfermos

5. YO PECADOR

Yo confieso ante Dios Todopoderoso
y ante vosotros hermanos,
que he pecado mucho con el pensamiento,
palabra, obra y omisión.

Por mi culpa, por mi culpa,
por mi gran culpa.
Por eso ruego a Santa María
siempre Virgen, a los ángeles
y a los santos, y a vosotros hermanos
que intercedáis por mí, ante Dios Nuestro Señor. Amén.

6. ACTO DE CONTRICIÓN

Jesús, mi Señor y Redentor,
yo me arrepiento
de todos los pecados
que he cometido hasta hoy.

Me pesa de todo corazón
porque con ellos ofendí a un Dios
tan bueno.

Propongo firmemente no volver a pecar
y confío en que por tu infinita misericordia,
me has de conceder el perdón de mis culpas
y me has de llevar a la vida eterna. Amén.

7. LOS PECADOS CAPITALES SON:

PECADOS:	VIRTUDES:
Soberbia	Humildad
Avaricia	Generosidad
Ira	Paciencia
Lujuria	Castidad
Gula	Templanza
Envidia	Caridad
Pereza	Diligencia

8. LOS PASOS PARA HACER UNA BUENA CONFESIÓN:

1. Examen de conciencia
2. Contrición de corazón
3. Propósito de enmienda
4. Confesión de boca
5. Satisfacción de obra

9. LOS MANDAMIENTOS DE LA LEY DE DIOS SON DIEZ:

1. Amar a Dios sobre todas las cosas
2. No jurar su Santo Nombre en vano
3. Santificar las fiestas
4. Honrar a padre y madre
5. No matar
6. No cometer actos impuros
7. No robar

8. No levantar falso testimonio ni mentir
9. No desear la mujer del prójimo
10. No codiciar los bienes ajenos

10. LAS OBRAS DE MISERICORDIA SON CATORCE:

1. Enseñar al que no sabe
2. Dar buen consejo
3. Corregir al que se equivoca
4. Perdonar las ofensas
5. Consolar al triste
6. Sufrir con paciencia los defectos de los demás
7. Rogar a Dios por los vivos y los muertos
8. Visitar a los enfermos
9. Dar de comer al hambriento
10. Dar de beber al sediento
11. Socorrer a los presos
12. Vestir al que lo necesita
13. Dar posada al peregrino
14. Sepultar a los muertos

11. HIMNO AL ESPÍRITU SANTO

Ven, Espíritu Santo creador,
ven a visitar el corazón,
y llena con tu gracia viva y eficaz
nuestras almas,
que Tú creaste por amor.

Tú, a quien llaman el Gran Consolador,
don del Dios Altísimo y Señor,
eres vertiente viva, fuego que es amor,
de los dones del Padre el dispensador.

Tú, Dios, que plenamente te nos das,
dedo de la mano paternal,
eres Tú la promesa que el Padre nos da;
tu palabra enriquece hoy nuestro cantar.

Los sentidos tendrás que iluminar,
nuestro corazón enamorar,
y nuestro cuerpo, frente a toda tentación,
con tu fuerza constante habrás de reafirmar.

Lejos al opresor aparta ya,
tu paz danos pronto, sin tardar;
y, siendo nuestro guía,
nuestro conductor,
evitemos así, cualquier error o mal.

Danos a nuestro Padre conocer,
a Jesús, el Hijo, comprender,
y a Ti, Dios, que procedes de su mutuo amor,
te creamos con sólida y ardiente fe.

Alabemos al Padre nuestro Dios,
y a su Hijo, que resucitó;
también al Santo Espíritu Consolador,
por los siglos de los siglos,
gloria y bendición.

Colección CELAM 1998, Nº11

12. Invocación al Espíritu Santo

R/. Ven Espíritu Santo, llena los corazones de tus fieles y enciende en ellos el fuego de tu amor. Envía, Señor, tu Espíritu y las cosas serán creadas, y renovarás la faz de la tierra.

Oh Dios que por el Espíritu Santo
iluminaste la inteligencia de tus fieles
con la luz de tu Verdad,
concédenos, que el mismo Espíritu,
nos dé a conocer la verdad
y a gustar del bien,
y llene nuestras almas
de consuelo y alegría.

Por Cristo, Nuestro Señor. Amén.

-Colección CELAM 1998, Nº11-

13. LOS DONES DEL ESPÍRITU SANTO:

Sabiduría, entendimiento, consejo, ciencia, piedad, fortaleza y temor de Dios.

14. LOS FRUTOS DEL ESPÍRITU SANTO SON:

Caridad, alegría, paz, paciencia, comprensión, bondad, fidelidad, mansedumbre, justicia, y dominio de sí mismo.

15. LAS BIENAVENTURANZAS DEL CRISTIANO SON:

1. Bienaventurados los pobres en el espíritu, porque de ellos es el Reino de los Cielos.
2. Bienaventurados los mansos, porque ellos poseerán en herencia la tierra.
3. Bienaventurados los que lloran, porque ellos serán consolados.
4. Bienaventurados los que tienen hambre y sed de justicia, porque ellos serán saciados.
5. Bienaventurados los misericordiosos, porque ellos alcanzarán misericordia.

6.   Bienaventurados los limpios de corazón, porque ellos verán a Dios.

7.   Bienaventurados los que trabajan por la paz, porque ellos serán llamados hijos de Dios.

8.   Bienaventurados los perseguidos por causa de la justicia, porque de ellos es el Reino de los Cielos.

16. LA SALVE

Dios te salve, Reina y Madre,
madre de misericordia, vida, dulzura
y esperanza nuestra.

¡Dios te salve!, a ti clamamos
los desterrados hijos de Eva,
a ti suspiramos gimiendo y llorando
en este valle de lágrimas.

¡Ea! pues Señora, abogada nuestra,
vuelve a nosotros tus ojos misericordiosos,
y después de este destierro,
muéstranos a Jesús: fruto bendito de tu vientre.

¡Oh clemente! ¡Oh piadosa! ¡Oh dulce Virgen María!

Ruega por nosotros Santa Madre de Dios
para que seamos dignos de alcanzar las
promesas de Nuestro Señor Jesucristo. Amén.

17. EL ANGELUS

El ángel del Señor anunció a María
R/. Y ella concibió por obra del Espíritu Santo.

Dios te salve María... Gloria al Padre...

He aquí la esclava del Señor.
R/. Hágase en mi, según tu palabra.

Dios te salve María... Gloria al Padre...

El Verbo de Dios se hizo carne.
R/. Y habitó entre nosotros.

Dios te salve María... Gloria al Padre...

18. LOS MISTERIOS DEL ROSARIO SON:

PARA LUNES Y JUEVES LOS GOZOSOS:
1. El anuncio del Arcángel San Gabriel a María Santísima
2. La visita de María a su prima Santa Isabel
3. El nacimiento de Jesús en Belén
4. La presentación de Jesús en el Templo
5. El hallazgo de Jesús en el Templo

PARA MARTES Y VIERNES LOS DOLOROSOS:
1. La oración de Jesús en el huerto
2. La flagelación
3. La coronación de espinas
4. Jesús carga la cruz hacia el calvario
5. Jesús, muere en la cruz

PARA MIÉRCOLES, SÁBADO Y DOMINGO LOS GLORIOSOS:
1. La Resurrección de Jesús
2. La Ascensión de Jesús al cielo
3. La venida del Espíritu Santo
4. La Asunción de la Virgen al cielo
5. La coronación de María, reina del universo.

19. VEN, ESPÍRITU SANTO

Ven, Espíritu divino,
manda tu luz desde el cielo.
Padre amoroso del pobre;
don, en tus dones espléndido;
luz que penetra las almas;
fuente del mayor consuelo.

Ven, dulce huésped del alma,
descanso de nuestro esfuerzo,
tregua en el duro trabajo,
brisa en las horas de fuego,
gozo que enjuga las lágrimas
y reconforta en los duelos.

Entra hasta el fondo del alma,
divina luz, y enriquécenos.
Mira el vacío del hombre,
si tú le faltas por dentro;
mira el poder del pecado,
cuando no envías tu aliento.

Riega la tierra en sequía,
sana el corazón enfermo,
lava las manchas, infunde
calor de vida en el hielo,
doma el espíritu indómito,
guía al que tuerce el sendero.

Reparte tus siete dones,
según la fe de tus siervos;
por tu bondad y tu gracia,
dale al esfuerzo su mérito;
salva al que busca salvarse
y danos tu gozo eterno.

(Secuencia de Pentecostés)

168